SOUS LE SIGNE DU CAPRICORNE

HUGO PRATT

SOUS LE SIGNE DU CAPRI-CORNE

En juillet 1967, dans le premier numéro de "Sgt. Kirk", mensuel édité à Gênes par Florenzo Ivaldi, paraissent les premières planches de *La Ballade de la mer salée (Una Ballata del mar salato)*. Ce récit devait marquer l'histoire de la bande dessinée à la fois par son ampleur (165 planches), ses qualités littéraires, qui le rapprochaient des grands romans d'aventures maritimes, et par l'apparition, à la septième planche, de Corto Maltese, qui n'était pourtant qu'un des nombreux protagonistes de l'histoire.

Quand en décembre 1969 "Sgt. Kirk" cesse de paraître, Hugo Pratt se trouve sans travail. Quelques semaines plus tôt, au 5e Salon international de la bande dessinée à Lucques (Italie), il était entré en contact avec la direction de l'hebdomadaire "Pif", et il décide alors de proposer sa collaboration à ce journal.

Dans le train Gênes-Paris, Hugo Pratt a l'idée - et c'est peut-être là le tournant de sa carrière - de réutiliser pour "Pif" le personnage de Corto Maltese, qui lui semble offrir de grandes possibilités. Ses projets sont accueillis favorablement, et en avril 1970 paraît le premier épisode, intitulé *Tristan Bantam*. Les réactions des lecteurs, souvent trop jeunes pour apprécier, sont fort mitigées, mais les responsables de "Pif" tiennent bon, et d'avril

1970 à mai 1973 ils publient vingt et un épisodes de vingt pages (en moyenne une histoire toutes les sept semaines). Ces épisodes parus dans "Pif" (et dont les titres ont parfois été légèrement modifiés par la suite) sont aujourd'hui regroupés en quatre volumes : *Sous le signe du Capricorne* (épisodes 1 à 6), *Corto toujours un peu plus loin* (épisodes 7 à 11), *Les Celtiques* (épisodes 12 à 17) et *Les Ethiopiques* (épisodes 18 à 21). Cette longue parution dans une publication à fort tirage ("Pif" se vendait à plus de 400 000 exemplaires) va être à l'origine de la grande carrière de Hugo Pratt, qui dès 1970-1971 est considéré par les spécialistes comme un des trois ou quatre auteurs les plus importants. Cependant, le grand public mettra quelques années à ratifier le jugement des professionnels, et ce n'est qu'à la fin des années 70 que les ventes d'albums deviendront considérables. Le succès de Corto Maltese, né en France, se répercute en Italie, puis dans d'autres pays. Corto Maltese a maintenant acquis une dimension mythique, allant jusqu'à éclipser son créateur, en qui certains ne voient qu'un simple biographe.

Sous le signe du Capricorne est donc le point de

départ du "syndrome de Corto Maltese". Après avoir pris pour cadre, dans *La Ballade de la mer salée*, le Pacifique des années 1913-1915, Hugo Pratt fait évoluer son héros en 1916-1917 en Amérique du Sud et aux Antilles. Plus encore que *La Ballade de la mer salée* où, malgré la vision personnelle de Hugo Pratt, certaines sources étaient décelables, les épisodes qui devaient former *Sous le signe du Capricorne* étonnèrent par leur puissance et leur originalité.

Avec Hugo Pratt, qui a habité en Argentine et au Brésil, le lecteur est loin des habituelles représentations schématiques de l'Amérique latine. Qu'il campe des Indiens, des militaires véreux, un jeune Occidental naïf ou une prêtresse de magie noire, Hugo Pratt dote ses personnages d'une telle authenticité que leur existence devient évidente. Certains sont habilement ancrés dans l'histoire : les chefs "cangaceiros" de *Samba avec Tir Fixe* ou les pirates auxquels il est fait allusion dans *... Et nous reparlerons des gentilshommes de fortune* sont d'ailleurs des personnages historiques. Hugo Pratt aime mêler la fiction et la réalité jusqu'à les rendre indissociables.

Sous le signe du Capricorne est également remarquable par le renouvellement des thèmes : même quand il se sert d'une trame classique dans la bande dessinée d'aventure (continent disparu, recherche d'un trésor…), Hugo Pratt introduit des sujets qui n'avaient guère été abordés avant lui, comme la lutte contre les grands propriétaires terriens ou l'ésotérisme, qui est ici très présent (culte vaudou, "macumba" brésilienne, interprétation du feu, tarots…). Les histoires restent cependant rationnelles, Hugo Pratt parvenant à un équilibre délicat.

Le charme qui émane de l'ensemble de l'œuvre de Hugo Pratt réside sans doute dans les interactions entre les éléments opposés (histoire et fiction, thèmes traditionnels et novateurs, rationalisme et magie). *Sous le signe du Capricorne* est à cet égard une initiation passionnante.

Dominique Petitfaux

I

LE SECRET DE
TRISTAN BANTAM

CORTO MALTESE SE REPOSAIT PARESSEUSEMENT SUR L'UNIQUE VÉRANDA DE LA PENSION JAVA À PARAMARIBO (GUYANE HOLLANDAISE). ON VOYAIT TOUT DE SUITE QUE C'ÉTAIT " UN HOMME DU DESTIN ".

IL ALLUMA UN DE CES MINCES CIGARES QUE L'ON FUME SEULEMENT AU BRÉSIL OU À LA NOUVELLE-ORLÉANS, D'UN GESTE MESURÉ. IL ÉTAIT EN TRAIN DE JOUER POUR UN PUBLIC INVISIBLE.

JE DEMANDE PARDON À TOUS, MOI...

À CET INSTANT LA REPRÉSENTATION FUT INTERROMPUE...

HORS D'ICI, VAURIEN! QUE JE NE TE REVOIE PLUS, JÉRÉMIAH!

À VOUS AUSSI, JE DEMANDE PARDON SI VOUS LE DÉSIREZ...

QU'EST-CE QUI VOUS PREND ? VOUS NE VOUS SENTEZ PAS BIEN ?

IL Y A TRÈS LONGTEMPS QUE J'AI FINI DE ME SENTIR BIEN ET MALHEUREUSEMENT VOUS NE POUVEZ RIEN Y FAIRE.

JE N'AI PAS DIT QUE JE VOULAIS FAIRE QUELQUE CHOSE POUR VOUS... POUR MA PART, VOUS POUVEZ MÊME ALLER AU DIABLE !

VOILÀ QUI EST PARLER CLAIREMENT... J'ESSAIERAI DE SUIVRE VOTRE CONSEIL. ADIEU, MONSIEUR.

UN INDIVIDU SUSCEPTIBLE, CE JÉRÉMIAH.

VOUS AVEZ RAISON, M. MALTESE.

IL N'ÉTAIT PAS AINSI AUTREFOIS. IL FUT UN TEMPS OÙ LE PROFESSEUR JÉRÉMIAH STEINER APPARTENAIT À UNE ÉLITE RECHERCHÉE PAR LA MEILLEURE SOCIÉTÉ INTERNATIONALE.

PROFESSEUR STEINER?

OUI. PROFESSEUR JÉRÉMIAH STEINER DE L'UNIVERSITÉ DE PRAGUE.

IL A ÉTÉ UN HOMME IMPORTANT. CE QU'IL A DIT ET ÉCRIT FAIT ENCORE L'OBJET D'ÉTUDES ET DE RECHERCHES.

IL N'A PLUS SOIF DE SAGESSE PHILOSOPHIQUE TELLEMENT IL A BU, DE PRAGUE À PARAMARIBO.

IL NE ME RESTE PLUS QU'À MODÉRER SA GRANDE SOIF DE RHUM ET À LE METTRE À LA PORTE POUR QUELQUES HEURES.

VOILÀ UN ASPECT INCONNU DE TA PERSONNE. JE NE T'AURAIS JAMAIS CRUE AUSSI DÉSINTÉRESSÉE. TU LE FAIS POUR SON BIEN OU PARCE QU'IL NE TE PAYE PAS LES BOISSONS ?

TU JUGES LES AUTRES D'APRÈS TOI-MÊME, CORTO MALTESE. MAIS DANS CE CAS TU TE TROMPES. J'ESTIME BEAUCOUP LE PROFESSEUR STEINER...

BONJOUR ! C'EST ICI LA PENSION DE MADAME JAVA ?

16

HEM! EXCUSE-MOI, "MADAME JAVA", MAIS JE VOIS QUE TU ES OCCUPÉE EN CE MOMENT. JE DESCENDS AU PORT JETER UN COUP D'OEIL AU BATEAU.

ÇA VA, CORTO. À CE SOIR.

AUJOURD'HUI IL FAIT PLUS CHAUD QUE D'HABITUDE ET LE FLEUVE APPORTE TOUTE L'HUMIDITÉ DE LA JUNGLE.

17

18

MHHH !...

POURQUOI AVEZ-VOUS FAIT ÇA ?

AH !... POUR DIRE LA VÉRITÉ, JE N'EN SAIS RIEN.

PEUT-ÊTRE SUIS-JE LE ROI DES IMBÉCILES. LE DERNIER EXEMPLAIRE D'UNE DYNASTIE COMPLÈTEMENT ÉTEINTE QUI CROYAIT EN LA GÉNÉROSITÉ !... EN L'HÉROÏSME.

J'AI COMPRIS. TU ES UN BOY-SCOUT FRUSTRÉ !

ÉCOUTE, VIEUX... L'IRONIE FACILE ME TAPE SUR LES NERFS.

BAH !... NE TE FÂCHE PAS, JE NE VOULAIS PAS TE VEXER. AU CONTRAIRE, JE DOIS TE REMERCIER DE M'AVOIR TIRÉ DE CE MAUVAIS PAS.

MIEUX VAUT TARD QUE JAMAIS... ET MAINTENANT, SI ÇA NE T'ENNUIE PAS, JE VAIS JETER UN COUP D'ŒIL À MON BATEAU.

JE NE SAVAIS PAS QUE TU AVAIS UN BATEAU. JE T'ACCOMPAGNE.

ÉCOUTE, PROFESSEUR, ON PEUT SAVOIR POURQUOI TU NE VAS PAS DE TON CÔTÉ ?

APRÈS TOUT CE QUE TU AS FAIT POUR MOI, LE MINIMUM QUE JE PUISSE FAIRE C'EST DE T'ACCOMPAGNER.

TU SAIS, JE N'AI PAS BESOIN D'UNE DAME DE COMPAGNIE.

ON NE SAIT JAMAIS...

EH BIEN! PUISQUE TU ES ICI, IL EST PROBABLE QUE TU ACCEPTERAS DE BOIRE QUELQUE CHOSE.

OH! MERCI.

TU AS UNE ÉTRANGE FAÇON DE REGARDER, TU SAIS. TU AS L'AIR DE VOULOIR LIRE DANS LES PENSÉES DES AUTRES.

DIS-MOI, PROFESSEUR, TU N'ES PAS FATIGUÉ D'ÊTRE À PARAMARIBO?... QU'EST-CE QUE TU TROUVES DE BON, ICI?

LE RHUM... ET PUIS...

... POUR MOI UN ENDROIT EN VAUT BIEN UN AUTRE... TU SAIS, TU NE CONNAIS RIEN DE MOI À PART QUELQUES SOTTISES QUE RACONTENT CEUX QUI CROIENT EN SAVOIR LONG...

... NON, TU NE SAIS VRAIMENT RIEN DE MOI ET JE POURRAIS TE RACONTER UN TAS D'HISTOIRES SI... JE N'ÉTAIS PAS... AUSSI FATIGUÉ...

JE ... JE ...

24

ÇA ALORS, JE SUIS EN TRAIN DE DEVENIR UNE NURSE !... TIENS ! IL Y A DE LA LUMIÈRE À LA PENSION...

ENCORE DEBOUT, MADAME JAVA ?

OUI, JE T'ATTENDAIS, CORTO MALTESE.

IL Y A QUELQUE CHOSE QUI PEUT T'INTÉRESSER. IL S'AGIT DU JEUNE BANTAM QUE TU AS VU AUJOURD'HUI. IL A BESOIN D'AIDE. JE LUI AI DIT QUE TU L'ÉCOUTERAIS.

AH OUI!... ALORS IL NE ME RESTE QU'À L'ÉCOUTER. ALLONS-Y !

VOICI LE COMMANDANT CORTO MALTESE, TRISTAN; C'EST LA PERSONNE LA PLUS INDIQUÉE POUR T'AIDER !

JE VOUS REMERCIE, MADAME JAVA, ET JE REMERCIE AUSSI LE COMMANDANT DE SA GENTILLESSE.

JE SUIS ARRIVÉ ICI APRÈS DE LONGUES DIFFICULTÉS, ET GRÂCE À QUELQUES SOUS QUE MON TUTEUR M'A DONNÉS. TOUT CECI POUR CHERCHER CE QUE MON PÈRE CHERCHA AUSSI. J'AI DES LETTRES ET DES DOCUMENTS QUE JE VAIS VOUS MONTRER.

VOICI QUELQUES LETTRES LAISSÉES PAR MON PÈRE. FRANCHEMENT JE N'AI PAS RÉUSSI À Y COMPRENDRE GRAND-CHOSE. IL Y A AUSSI DES RELEVÉS DE CARTES GÉOGRAPHIQUES... J'AI BEAUCOUP CHERCHÉ SUR L'ATLAS...

... ET POURTANT JE NE SUIS PAS ARRIVÉ À LOCALISER CES LIEUX. À LONDRES, J'AI D'ABORD FAIT EXAMINER LES DOCUMENTS...

...PAR DES PERSONNES QUI SEMBLAIENT S'Y INTÉRESSER, MAIS ENSUITE LES CHOSES SE SONT COMPLIQUÉES. ILS ONT VOULU BEAUCOUP TROP D'ARGENT POUR M'AIDER.

C'EST ÉTRANGE... IL Y A QUELQUE CHOSE ICI QUI M'INTRIGUE ... CES SYMBOLES, CES SIGNES ME RAPPELLENT QUELQUE CHOSE DE SEMBLABLE SCULPTÉ SUR UNE GROSSE PIERRE DANS UNE ÎLE DU PACIFIQUE SUD.

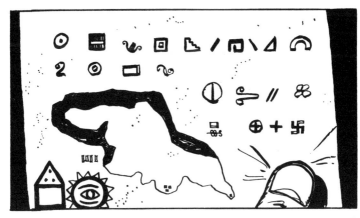

OUI, NOUS ÉTIONS ARRÊTÉS À PANAPE ET EN VISITANT L'INTÉRIEUR DE L'ÎLE JE ME SUIS TROUVÉ EN FACE D'UN TEMPLE ANTIQUE ENFOUI SOUS LA JUNGLE. SUR LE FRONTON IL Y AVAIT QUELQUES SIGNES SCULPTÉS SEMBLABLES À CEUX-CI.

DANS SES NOTES, MON PÈRE PARLE D'UN ROYAUME MYSTÉRIEUX APPELÉ "MU" QUI SE SERAIT ENFONCÉ DANS LA MER, DÉTRUIT PAR UNE PLUIE DE FEU. AU COURS DE L'UN DE SES VOYAGES AU BRÉSIL, DANS LA ZONE DU HAUT XINGU, IL A TROUVÉ DES CONSTRUCTIONS CYLINDRIQUES COMPLÈTEMENT DIFFÉRENTES DE LA TYPIQUE CONSTRUCTION PYRAMIDALE SUD-AMÉRICAINE, AVEC LES MÊMES SYMBOLES SCULPTÉS DE MU.

ICI, IL PARLE D'UNE AUTRE SÉRIE DE DOCUMENTS QUI APPARTIENNENT A Mlle MORGANA DIAS DO SANTOS BANTAM DI SAN SALVADOR DE BAHIA... QUI EST-CE ?

C'EST MA SŒUR, PLUTÔT MA DEMI-SŒUR. JE NE L'AI JAMAIS VUE... MON PÈRE, APRÈS AVOIR DIVORCÉ D'AVEC MA MÈRE, S'EST REMARIÉ EN AMÉRIQUE DU SUD ET Y HABITA PLUSIEURS ANNÉES.

À LA MORT DE MA MÈRE IL QUITTA L'AMÉRIQUE POUR VENIR PRENDRE SOIN DE MOI, MAIS PEU DE TEMPS APRÈS IL TOMBA MALADE ET LUI AUSSI IL MOURUT...

EN TOUT CAS JE ME SOUVIENS QU'IL Y EUT QUELQUE CHOSE D'ÉTRANGE À CETTE ÉPOQUE. JE NE PEUX PAS M'EXPLIQUER, COMME SI DES FORCES MYSTÉRIEUSES AVAIENT PRIS POSSESSION DE LA MAISON, DES CHOSES ET DE NOUS-MÊMES...

MON PÈRE DISAIT SOUVENT QUE C'ÉTAIT SES AMIS DE SÃO SALVADOR QUI ENVOYAIENT DES MESSAGES ET QUE JE DEVAIS ALLER LÀ OÙ IL AVAIT VÉCU EN AMÉRIQUE. JE N'ATTACHAI PAS D'IMPORTANCE À CE QUE JE CROYAIS ALORS ÊTRE DU DÉLIRE.

MAIS ENSUITE, MOI AUSSI JE COMMENÇAI À ENTENDRE DES VOIX QUI M'APPELAIENT. CES VOIX AVAIENT UN NOM : "OGOUN FERRAILLE".

EN SOMME, DEPUIS QUE J'AI APPRIS L'EXISTENCE DE CETTE ÉTRANGE DEMI-SŒUR, JE VIS DANS UN MONDE MAGIQUE.

J'AI COMME DES PRESSENTIMENTS...
EN CE MOMENT MÊME, PAR EXEMPLE,
JE SENS LA PRÉSENCE TRÈS
RAPPROCHÉE
DE MA SOEUR
MORGANA.

EXCUSEZ-
MOI, SI
JE DOIS
VOUS INTER-
ROMPRE!...

TRISTAN, CETTE DEMOISELLE
VEUT TE VOIR... ELLE DIT
QUE C'EST IMPORTANT
ET QUE TU
L'ATTENDAIS.

MOI!...
JE NE CONNAIS
PERSONNE...

OGOUN FERRAILLE
A ENVOYÉ CE MESSAGE
POUR TOI!

OGOUN
FERRAILLE!

30

LE MESSAGE EST ARRIVÉ PENDANT LE GRAND VAUDOU, HIER SOIR. TA SŒUR MORGANA EST UN GRAND DIABLE.

MA SŒUR MORGANA ?

OUI, ELLE EST DISCIPLE DE "ROSE BOUCHE DORÉE", GRAND DIABLE DE BAHIA. ELLE PARLE AVEC LA PENSÉE, ET LES FRÈRES DE PARAMARIBO L'ENTENDENT.

MAIS... JE NE COMPRENDS PAS... CE N'EST PAS POSSIBLE !...

ogun onirê
Akolô onirê
ereguedê
acaré ogun ereguedê

TRISTAN BANTAM

seu segundo
se Hoje se
inicia *

ven rap
A morte e

BAHIA

ANAGRAM

MORGANA

VOCÊ foi chamado
vai ser transmutado
em energia...

C'EST UNE LETTRE AVEC LES SYMBOLES MAGIQUES DE LA "MACUMBA" BRÉSILIENNE, À PEU PRÈS LA MÊME CHOSE QUE LE VAUDOU DES CARAÏBES. C'EST ÉCRIT EN PORTUGAIS: TU ES APPELÉ POUR ÊTRE TRANSFORMÉ EN ÉNERGIE. TA DEUXIÈME VIE COMMENCE MAINTENANT...

C'EST ADRESSÉ À TOI ET SIGNÉ MORGANA.

UN MOMENT... JE SENS VENIR UN DANGER. IL EST TOUT PRÈS. MORGANA DIT... MÊME... DANGER... DE... LONDRES... BAHIA... PARAMARIBO!...

32

JE REGRETTE, GARÇON! CE COUP ÉTAIT POUR MOI.

NON!

CET HOMME A VOULU TUER LE GARÇON... LA VOIX DE MORGANA DIT QUE LE PÉRIL EST POUR TRISTAN. ELLE DIT: "VIENS TOUT DE SUITE!".

...LES DIABLES SONT ICI, À BAHIA!

MAIS IL Y A UN DANGER POUR VOUS AUSSI, ET C'EST JEMANJA, MÈRE DES EAUX, QUI TE PRÉVIENT.

CET HOMME EST ENCORE VIVANT, CORTO?

OUI ... MAIS IL NE LE RESTERA PAS.

ÉCOUTE, "YEUX DE CRAPAUD", TU ES FINI... JE REGRETTE MAIS C'EST COMME ÇA. DIS-MOI UNE CHOSE... TU ES VENU POUR MOI, OU POUR LE GARÇON ?

TU AIMERAIS LE SAVOIR, HEIN !

OUI, J'AIMERAIS LE SAVOIR, MAIS SI TU NE VEUX PAS ME LE DIRE, ÇA N'A PAS D'IMPORTANCE... VEUX-TU UN CIGARE ?

LE GARÇON EST MORT ?

NON, IL EST SEULEMENT BLESSÉ... DEUX DOIGTS PLUS BAS ET IL ÉTAIT TUÉ.

TANT MIEUX. DU MOMENT QUE JE DOIS MOURIR, L'ARGENT QUE JE DEVAIS GAGNER EN LE TUANT NE M'INTÉRESSE PLUS BEAUCOUP... DANS MES POCHES TU TROUVERAS L'ACOMPTE QU'ILS M'AVAIENT DONNÉ...

... DONNE-LE À CE PROFESSEUR ... QU'IL BOIVE À MA MÉMOIRE... JE N'AVAIS RIEN CONTRE LUI... J'ÉTAIS SEULEMENT ENNUYÉ DE N'AVOIR PAS RÉUSSI À EN FAIRE UN AMI.

QUI EST-CE QUI T'A PAYE ?

TU ES UN MALIN, DEVINE UN PEU.

IL EST MORT !

C'ETAIT VRAIMENT DIRIGE CONTRE MOI... LE PAUVRE... VOICI L'ARGENT.

IL Y A AUSSI UNE ADRESSE... SEULEMENT UN NUMERO ET UNE RUE.

19 MANGROVE STRAAT

IL FAUT APPELER UN DOCTEUR POUR LE GARÇON. TU ES RAPIDE AVEC CE COUTEAU.

IL N'Y AVAIT RIEN D'AUTRE À FAIRE.

JE VAIS TOUT DE SUITE À LA POLICE ET... MAIS... QU'EST-CE QUI ARRIVE ?

EH ! CORTO MALTESE ! CORTO MALTESE !

TON BATEAU EST EN FLAMMES !

40

STEINER! STEINER!

PROFESSEUR!.. COURAGE, MON VIEUX!... JE T'EMMÈNE DEHORS!

APRÈS LE COUP DE POING AU LIEUTENANT, MIEUX VAUT NE PAS SE FAIRE VOIR.

COURAGE, STEINER ! NOUS SOMMES HORS DE DANGER.

HÉ ! CORTO !

EH ! CORTO, ES-TU BLESSÉ ?

NON, TOUT VA BIEN... LE PROFESSEUR AUSSI. IL EST SEULEMENT À MOITIÉ ÉTOUFFÉ PAR LA FUMÉE.

CORTO... C'EST... L'AMI... DE 'YEUX DE CRAPAUD'... J'AI ESSAYÉ DE L'ARRÊTER...

ÇA VA, STEINER. JE LE TROUVERAI... VA CHEZ MADAME JAVA. J'AI ENCORE DEUX CHOSES À FAIRE.

JE NE SAIS PAS COMMENT ILS S'Y SONT PRIS, MAIS ILS M'ONT FAIT ENTRER DANS UN JEU QUI JUSQU'À CETTE NUIT ME LAISSAIT INDIFFÉRENT. MAINTENANT ON VA VOIR...

JE DOIS ÉVITER LA POLICE JUSQU'À DEMAIN ET FAIRE VITE !

VOICI L'ADRESSE.

BONJOUR ! JE VOUDRAIS PARLER À L'AVOCAT KERSTER.

MMMH !... DE QUOI S'AGIT-IL ?

L'AVOCAT EST TRÈS OCCUPÉ. VOUS POUVEZ CAUSER AVEC MOI. MAIS SOYEZ BREF !

VOILÀ. NOUS POUVONS RECOMMENCER MAINTENANT. BONJOUR, JE VOUDRAIS PARLER À...

... L'AVOCAT KERSTER... OUI OUI... J'AI COMPRIS...

... MAIS AVEZ-VOUS BESOIN D'ÊTRE AUSSI AGRESSIF ? POURQUOI ÊTES-VOUS SI MÉCHANT ?

C'EST DE NAISSANCE !

BIEN ! LES PERSONNES MÉCHANTES ME FASCINENT ; JE VOUS EN PRIE, PRENEZ PLACE ET DITES-MOI EN QUOI JE PUIS VOUS ÊTRE UTILE. KERSTER, C'EST MOI !

AH !... ÇA C'EST UNE SURPRISE.

45

IL SE TROUVE QUE CETTE NUIT UN MARIN EST MORT EN ME RACONTANT UNE ÉTRANGE HISTOIRE... IL AVAIT DANS SES POCHES PAS MAL D'ARGENT ET L'ADRESSE DE CE BUREAU. J'AI LU TON NOM SUR LA PORTE...

... J'AI VU QUE L'ÉCRITURE DU BILLET QU'AVAIT "YEUX DE CRAPAUD" EST LA MÊME QUE CELLE DE LA LETTRE QUE TU ES EN TRAIN D'ÉCRIRE. ALORS, SANS T'OFFENSER, TU DEVRAIS M'EXPLIQUER QUEL GENRE D'AFFAIRES IL AVAIT AVEC TOI CAR IL Y A EU DES COUPS DE FEU, UN GARÇON BLESSÉ, UN BATEAU INCENDIÉ...

... ET UN COMPLICE QUI EN CE MOMENT DOIT ATTENDRE L'ARGENT QUE DEVAIT LUI DONNER "YEUX DE CRAPAUD".

POURQUOI N'ÉCRIS-TU PAS DES ROMANS D'AVENTURES ?

TU AS TUÉ TON ASSOCIÉ... TU ES UN VÉRITABLE IDIOT. IL N'Y AVAIT PAS DE PREUVES CONTRE TOI.

RACONTE CE QUE TU SAIS... SI LA FABLE ME PLAÎT, JE GARDERAI L'ARGENT QU'ON T'AVAIT DONNÉ POUR INCENDIER MON BATEAU ET JE TE LAISSERAI ALLER.

ON A INCENDIÉ TON BATEAU POUR SE VENGER DE LA BAGARRE D'HIER SOIR. KERSTER A PAYÉ "YEUX DE CRAPAUD" POUR TUER LE GARÇON... MAIS IL Y A DERRIÈRE LUI QUELQU'UN DE PLUS IMPORTANT QUE JE NE CONNAIS PAS... TU SAIS, NOUS, AVEC KERSTER, NOUS AVIONS UNE AUTRE ACTIVITÉ. NOUS AIDIONS LES FORÇATS À FUIR...

... DE LA GUYANE FRANÇAISE. C'EST ICI QUE NOUS LEUR DONNIONS LES FAUX DOCUMENTS... ET CELA NOUS RAPPORTAIT ASSEZ BIEN. VOILÀ TOUT CE QUE JE SAIS, CORTO MALTESE, JE TE JURE.

JE TE CROIS, JE TE CROIS... ET MAINTENANT ALLONS À LA POLICE !

AH!... TU ES UN MAUDIT MENTEUR !

BIEN SÛR QUE JE SUIS UN MENTEUR. SURTOUT AVEC TOI... ALLONS-Y !...

ENTRE-TEMPS, À LA PENSION DE Mme JAVA.

VOILÀ TOUTE L'HISTOIRE, PROFESSEUR STEINER. J'ESPÈRE QUE M. CORTO MALTESE VOUDRA BIEN M'AIDER !

LES NOTES DE TON PÈRE SONT TRÈS INTÉRESSANTES, TRISTAN, AINSI QUE SES THÉORIES SUR CE CONTINENT PERDU DE MU...

JE ME SOUVIENS DE SA CONFÉRENCE À LA "GEOGRAPHIC ASSOCIATION OF LONDON" IL Y A UNE DIZAINE D'ANNÉES. ICI IL A ÉCRIT : "LE LIVRE DES MORTS."

C'EST LE NOM DU LIVRE SACRÉ ÉGYPTIEN. EN HIÉROGLYPHE IL EST ÉCRIT "PER-M-HRU." "PER" SIGNIFIE SORTIR VERS LA LUMIÈRE, "HRU" C'EST LE JOUR, ET "M" UNE PRÉPOSITION : "DU". CE "M" SELON MOI SIGNIFIE "MU". LE "LIVRE DES MORTS" N'EST PAS AUTRE CHOSE QU'UN LIVRE SACRÉ DÉDIÉ AUX PEUPLES QUI MOURURENT LORS DE LA DESTRUCTION DE MU.

49

CES PEUPLES ÉTAIENT LES ANCÊTRES DES ÉGYPTIENS ET D'AUTRES RACES HUMAINES.

PER-M-HRU.

IL Y A ICI UN ENSEMBLE DE SYMBOLES QUI DÉCRIVENT LA DESTRUCTION DE MU.

= symbol of fire (EGYPTIAN)

SYMBOLE DU FEU

1. LETTRE HIÉRATIQUE M, DE MU. UN DE SES SYMBOLES LES PLUS COMMUNS

2. SYMBOLE ANTIQUE DE L'ABÎME.

3. ABÎME REMPLI DE FEU

1

2

3

LOTUS SACRÉ, SYMBOLE FLORAL REPRÉSENTANT MU

MU APRÈS LA SUBMERSION

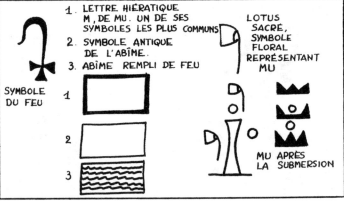

TROIS, NOMBRE SYMBOLIQUE DE MU

MU = M

EMPIRE DU SOLEIL

ALPHABET CARA-MAYA (PEUPLE ENVAHISSEUR DE L'INDE)

50

L'ALPHABET GREC EST UNE ÉPOPÉE EN CARACTÈRES CARAMAYA, UNE COMMÉMORATION FUNÈBRE DE LEURS ANCÊTRES QUI PÉRIRENT AVEC LA DESTRUCTION DE MU.
JE TRADUIRAIS AINSI : ALPHA SE DÉCOMPOSE EN "AL"; LOURDE, "PAA"; CASSER, ET "HA"; EAU...

BÊTA = "BE" : MARCHE, ET "TA" : LIEU, SOL, PLAINE. GAMMA = "KAM": REÇOIT, ET "MA": MÈRE, TERRE. DELTA = "TEL": PROFOND, ET "TA": OÙ. EPSILON = "EP": OBSTRUCTION, ZIL : FAIRE LES BORDS, "ONOM": VENT. ÊTA = "ET": AVEC, "HA": EAU. ZÊTA = "ZE" : COUP MORTEL, "TA" : OÙ, LIEU...

QU'EST-CE QUE C'EST ? UNE FABLE ?

BONSOIR, CORTO, NOUS T'ATTENDIONS.

BONSOIR, M. CORTO.

ALORS, TU T'OCCUPES DE CES HISTOIRES DE MONDES PERDUS ET DE TRÉSORS CACHÉS... JE CROYAIS QUE SEULE LA BOISSON POUVAIT T'INTÉRESSER.

NE FAIS PAS LE DUR. AU PLUS PROFOND DE TOI TU DÉSIRES CROIRE AUX FABLES, AUTREMENT POURQUOI TE TROUVERAIS-TU TOUJOURS MÊLÉ À DES SITUATIONS QUE TU POURRAIS ÉVITER EN FERMANT TOUT SIMPLEMENT LA PORTE ?

STEINER, UN JOUR TU FINIRAS PAR ME FAIRE PERDRE PATIENCE !

NE TE FÂCHE PAS ! TU SAIS, CE QUE JE LISAIS LÀ N'EST PAS INCOMPRÉHENSIBLE, IL Y A BEAUCOUP DE NOTICES QUI PARLENT...

...DE CE MONDE DISPARU IL Y A 50.000 ANS. UN PRÊTRE BOUDDHISTE ME PARLA UN JOUR DE CERTAINES PLANCHETTES GRAVÉES EN LANGUE NAGA-YAMA, APPARTENANT À UNE RACE QUI ENVAHIT L'INDE, ET QUI CONFIRMENT L'EXISTENCE DE MU.

EXCUSEZ-MOI, M. CORTO... J'AI ACHETÉ LE "YAWL" DE Mme JAVA ET AVEC CE BATEAU JE VOUDRAIS ALLER TROUVER MA SŒUR MORGANA. SI VOUS LE VOULEZ, JE VOUS ENGAGE POUR ME CONDUIRE À BAHIA

BELLE PROMENADE !

OUI, UNE BELLE PROMENADE ! ET LE PROFESSEUR STEINER A AIMABLEMENT ACCEPTÉ DE VENIR MAIS FRANCHEMENT, MAINTENANT QUE JE VOUS CONNAIS, MON ENTREPRISE ME SEMBLE IRRÉALISABLE SANS VOTRE CONCOURS.

ÉCOUTE, TRISTAN... JE N'AI PAS BESOIN D'ÊTRE FLATTÉ POUR FAIRE QUELQUE CHOSE. SI J'ACCEPTE C'EST PARCE QUE CELA ME CONVIENT. NOUS PARTIRONS DEMAIN POUR BAHIA.

JAVA, TU ENVERRAS CECI À L'AVOCAT MILNER.

MAIS... L'AVOCAT MILNER EST MON TUTEUR... À LONDRES!

OUI, ET C'EST AUSSI CELUI QUI VOULAIT TE VOIR DISPARAÎTRE, TRISTAN...

... J'AI TROUVÉ DES LETTRES AVEC SES INSTRUCTIONS À CE PROPOS DANS LE BUREAU D'UN CERTAIN AVOCAT KERSTER. EN RENTRANT DE LA POLICE J'AI RENCONTRÉ LA "SORCIÈRE" NOIRE D'HIER SOIR...

...QUI REÇOIT LES MESSAGES DE TA SŒUR MORGANA ET QUI M'A DONNÉ CE "VAUDOU".

53

ELLE M'A ASSURÉ QUE C'EST UN GRAND DIABLE ET QUE CELUI QUI LE REÇOIT EN MOURRA APRÈS AVOIR EU DE GROS CHAGRINS... JE N'Y CROIS PAS... MAIS IL N'EST PAS DÉFENDU D'ESSAYER. ALORS NOUS L'ENVERRONS À LONDRES.

FANTASTIQUE... LA TRADUCTION DE L'ALPHABET GREC SERAIT À PEU PRÈS AINSI : FORTEMENT LES EAUX FIRENT IRRUPTION, SE RÉPANDANT SUR LES PLAINES, RECOUVRANT LA TERRE, DÉTRUISANT LES DIGUES, SUBMERGEANT LA TERRE DE MU...

...MES CHERS AMIS, JE NE SAIS PAS CE QUE NOUS TROUVERONS DANS LES DOCUMENTS DE MORGANA BANTAM, MAIS CE SERA TOUJOURS PASSIONNANT DE LES EXAMINER !

II

RENDEZ-VOUS À BAHIA

LE "DREAMING BOY", LE YAWL DU JEUNE TRISTAN BANTAM, NAVIGUE VERS SÃO SALVADOR DE BAHIA. LE JEUNE ANGLAIS POSSÈDE DES DOCUMENTS MYSTÉRIEUX QUE SON PÈRE LUI A LAISSÉS ET QUI, AJOUTÉS À CEUX QUE DÉTIENT SON ÉTRANGE DEMI-SŒUR BRÉSILIENNE, SERVIRONT À ÉCLAIRCIR CERTAINS MYSTÈRES...

TRISTAN, TU ES SILENCIEUX DEPUIS UN BON MOMENT. TU ES PRÉOCCUPÉ... RACONTE-MOI CE QUI T'ARRIVE.

JE NE SAIS PAS... JE PENSE À CETTE SŒUR QUE JE NE CONNAIS PAS ET QUI ME FAIT PEUR AVEC SES ÉTRANGES MESSAGES ENVOYÉS D'UNE FAÇON SI EXTRAVAGANTE.

POURTANT, TON PÈRE A DÛ TE PARLER D'ELLE.

PEU. IL ÉTAIT TOUJOURS ÉVASIF... QUAND JE VOULAIS AVOIR DE SES NOUVELLES. MAIS IL DEVAIT L'AIMER BEAUCOUP CAR, À SA MORT, SES DERNIÈRES PAROLES FURENT POUR MA SŒUR. JE ME DEMANDE COMMENT ELLE VA ME RECEVOIR.

EN CE MOMENT, ELLE DOIT ÊTRE EN TRAIN DE PENSER LA MÊME CHOSE.

C'EST BIEN POSSIBLE, MONSIEUR MALTESE, MAIS CE QUE JE NE COMPRENDS PAS ET CE QUE JE TROUVE ÉTONNANT, C'EST QUE MA SŒUR VIVE DANS L'INTIMITÉ DE CES ÉTRANGES SORCIERS AFRO-AMÉRICAINS.

JE NE SAIS COMMENT TE RÉPONDRE, TRISTAN... MAIS TU OUBLIES PEUT-ÊTRE QU'ELLE A GRANDI ICI... DANS CETTE PARTIE DU MONDE SI DIFFÉRENTE DE TON ANGLETERRE CONSERVATRICE, ORDONNÉE ET INSIPIDE, FAITE DE THÉ ET DE HAUSSEMENTS DE SOURCILS.

PAROLES SAINTES! TRISTAN, CORTO A RAISON, MAIS IL TE PRÉSENTE SEULEMENT UNE PARTIE DE L'ANGLETERRE. IL Y EN A UNE QUI EST ENCORE PIRE ET QU'IL NE CONNAÎT PEUT-ÊTRE PAS...

... ET PUIS IL Y A AUSSI UNE ANGLETERRE MERVEILLEUSE. MAIS CE N'EST PAS DE CELA QUE JE VEUX PARLER... EN EXAMINANT LES NOTES DE TON PÈRE J'AI APPRIS DES CHOSES EXTRAORDINAIRES. POUR CERTAINS IL NE S'AGIT QUE D'HYPOTHÈSES, MAIS POUR MOI CE SONT AUSSI DE GRANDES VÉRITÉS.

CE SONT LES PAROLES MÊMES DE MON PÈRE, PROFESSEUR STEINER. IL DISAIT QU'AUJOURD'HUI LA SCIENCE CRÉE UNE NOUVELLE MÉTHODOLOGIE, QUE L'HISTOIRE DE L'HOMME EST PLUS MYSTÉRIEUSE QUE DANS LE PASSÉ.

TRÈS JUSTE ! LES THÉORIES DE L'ÉVOLUTION DE LA SURFACE TERRESTRE, DES CATASTROPHES DES CONTINENTS, DES EFFONDREMENTS SENSATIONNELS...

... COMME CELUI DE L'ATLANTIDE OU BIEN CELUI DE MU, PASSENT POUR DES FABLES, DES MYTHES... SANS POUR CELA CESSER DE PRÉSENTER DES ASPECTS POSSIBLES. EN SOMME ON NE SAIT PLUS RIEN AVEC CERTITUDE, TOUT DEVIENT POSSIBLE...

VOUS ÊTES DEUX GROS BAVARDS !

STEINER, POURQUOI N'ESSAIES-TU PAS D'ÊTRE PLUS PRATIQUE ? COMMENCE DONC À JETER QUELQUES NOTES DE VOYAGE SUR LE PAPIER. TU TROUVERAS TOUJOURS À LES VENDRE.

DES NOTES ?

OUI, DES NOTES. UN JOURNAL DE VOYAGE. QUELQUE CHOSE D'UTILE QUI TE FERA GAGNER DE L'ARGENT.

C'EST UNE IDÉE. MAIS POURQUOI NE L'ÉCRIVEZ-VOUS PAS VOUS-MÊME, MONSIEUR CORTO MALTESE? VOTRE VIE A SÛREMENT ÉTÉ PASSIONNANTE.

TU VOIS, TRISTAN, SI J'ÉCRIVAIS- ADMETTONS QUE JE SACHE LE FAIRE- JE FINIRAIS PAR FAUSSER LES FAITS, LES CARACTÈRES DE CEUX QUE J'AI CONNUS. POUR MOI, C'EST MIEUX AINSI, VIVRE SANS HISTOIRE.

QUELLE A ÉTÉ TA VIE ?

JE NE PEUX PAS ME PLAINDRE. J'AI REÇU PLUS QUE JE N'AI DONNÉ... MAIS ON NE POSE PAS DE QUESTIONS COMME CELLE-LÀ, CE N'EST PAS BIEN. QUI T'A APPRIS LES BONNES MANIÈRES ?

EXCUSE-MOI, MAIS SI JE DISAIS ÇA C'EST PARCE QU'IL ME SEMBLE AVOIR LU QUELQUE CHOSE DANS UN JOURNAL VOICI PLUSIEURS MOIS. ON Y PARLAIT D'UNE HISTOIRE SUR UNE ÎLE DU PACIFIQUE. ET TON NOM ÉTAIT MENTIONNÉ.

C'EST UN NOM COMMUN, TRÈS PORTÉ CETTE ANNÉE...

NOUS NOUS ARRÊTERONS ICI POUR CUEILLIR DES FRUITS ET NOUS DÉGOURDIR UN PEU LES JAMBES.

QUELLE EST NOTRE POSITION ?

NOUS SOMMES PRÈS DE SAINT-LAURENT-DU-MARONI, EN GUYANE FRANÇAISE, ET...

CE SONT DE BRAVES GARÇONS ET ILS NE FONT DE MAL À PERSONNE SI ON NE LES PROVOQUE PAS COMME L'A FAIT FROU-FROU.

DERNIÈREMENT FROU-FROU EST DEVENU FOU. LA SOLITUDE, LES MALADIES L'ONT MENÉ TOUT DROIT AU MEURTRE.

ET C'EST AINSI QU'IL A ÉTÉ CONDAMNÉ À MORT PAR LES ANCIENS DE LA TRIBU. J'AI ENCORE UNE FOIS ESSAYÉ DE LE DÉFENDRE...
MAIS JE N'AI PAS RÉUSSI...
CE SONT DE BRAVES GENS, ILS NOUS AIDENT, ILS NOUS CACHENT, NOUS DONNENT À MANGER ET NE NOUS DEMANDENT RIEN EN ÉCHANGE.

...DE LUNES, IL Y EN A EU TROIS. DEUX ONT ÉTÉ MANGÉES PAR LA TERRE... CELLE QUE NOUS VOYONS EST LA TROISIÈME. LE JEUNE HOMME EST LIÉ À LA DEUXIÈME LUNE...

LE FEU DIT: LE DANGER SERA UNE OMBRE CONSTANTE DANS TA VIE ET UNE FEMME SERA TA GARDIENNE.

IL PARLE DE TA SŒUR MORGANA...

OUI... MAIS LA CHOSE LA PLUS EXTRAORDINAIRE C'EST QU'IL DIT ÇA DANS NOTRE LANGUE

IL DOIT S'AGIR D'UN GROS MALIN QUI A ÉTUDIÉ DANS QUELQUE ÉCOLE MISSIONNAIRE.

NON, C'EST UN CARAÏBE. POURTANT JE L'AI VU PARLER RUSSE ET ARABE AVEC DEUX COMPAGNONS DU BAGNE... QUAND IL LIT DANS LE FEU IL LUI ARRIVE D'ÉTRANGES CHOSES.

ÇA VA... C'EST UN DRÔLE DE GARS...

TRISTAN, LE PAYS QUE TU CHERCHES A QUATRE ENTRÉES. LA PREMIÈRE AU SUD, PARMI LES XAVANTES, PEUPLE QUI COURT, LA DEUXIÈME DANS UNE TERRE ENTOURÉE PAR LA GRANDE MER SALÉE, LE NOMBRIL DU MONDE; LA TROISIÈME AU NORD DANS LE ROYAUME BLANC...

... LA QUATRIÈME DANS LE LABYRINTHE DES QUESTIONS ET DES RÉPONSES. DANS LE SILENCE DES LANGUES. C'EST LA PORTE LA PLUS FACILE... MÊME SI TU N'Y CROIS PAS, CORTO MALTESE !!!

COMMENT SAIS-TU QUI JE SUIS ?

JE NE TE CONNAIS PAS, MAIS JE POURRAIS TE PARLER D'UNE ÎLE DE LA MER DU SUD, D'UN FAUX MOINE, D'UNE GUERRE NAVALE... D'UN TRÉSOR CACHÉ ET D'UNE CICATRICE, DANS TA MAIN SUR LA LIGNE DE CHANCE, QUE TU T'ES FAITE AVEC LE RASOIR DE TON PÈRE PARCE QUE CELLE QUE TU AVAIS NE TE PLAISAIT PAS.

71

JE VOUS REMERCIE DE M'AVOIR PRIS À BORD. CE SERA PLUS FACILE POUR MOI AU PREMIER PORT BRÉSILIEN DE M'EMBARQUER SUR UN CARGO ALLANT À PARAMARIBO ...

... ET DE RETROUVER CES DEUX TRAÎTRES QUI ONT ASSASSINÉ MES AMIS APRÈS LES AVOIR VOLÉS.

SI CEUX QUE TU CHERCHES S'APPELLENT YEUX DE CRAPAUD ET CROCHET, TES SOUCIS SONT FINIS, CAVENNE! L'UN EST MORT, L'AUTRE EN PRISON. ET L'AVOCAT KERSTER QUI ORGANISAIT LES FUGUES DES DÉPORTÉS À LA GUYANE FRANÇAISE EST MORT AUSSI.

C'EST BIEN D'EUX QU'IL S'AGIT.

OUI, DEUX SONT MORTS ET L'AUTRE EST DANS UNE PRISON HOLLANDAISE. MAIS IL Y A UN QUATRIÈME RESPONSABLE; UN AVOCAT ANGLAIS QUI SE SERVAIT DE KERSTER À DES FINS PEU AVOUABLES.

CELUI-CI A UN RÉSEAU D'AFFAIRES LOUCHES QUI VA DE LA JAMAÏQUE À BUENOS AIRES, UNE ESPÈCE DE "MAIN NOIRE" DANS LE MILIEU DE LA COLONIE ANGLAISE DES INDES OCCIDENTALES.

IL A ESSAYÉ DE FAIRE TUER TRISTAN, LE GARÇON QUI EST AVEC MOI, ET IL A SÛREMENT ÉLIMINÉ SON PÈRE. UNE HISTOIRE D'HÉRITAGE OU D'INTÉRÊTS.

MAINTENANT NOUS ALLONS À BAHIA TROUVER LA DEMI-SŒUR DE TRISTAN, QUI A DES DOCUMENTS POUR LUI. J'AI L'IMPRESSION QUE DANS CETTE VILLE IL SE PASSERA QUELQUE CHOSE D'IMPORTANT.

CET AVOCAT ANGLAIS S'APPELLE-T-IL MILNER ?

AH !... INCROYABLE ! IL ME SEMBLE ÊTRE DANS UN CLUB. NOUS NOUS CONNAISSONS TOUS.

J'AI UNE FOIS ENTENDU PARLER DE LUI PAR UN BRAVE GARÇON MORT AU BAGNE DE SAINT-LAURENT. IL AVAIT DÉCOUVERT LES MÊMES CHOSES QUE CORTO MALTESE ET IL ÉTAIT ALLÉ FINIR À LA GUYANE.

CE MILNER DOIT AVOIR DE BELLES MANIÈRES... J'ESPÈRE LE RENCONTRER UN JOUR.

IL DEVRA BIEN FAIRE QUELQUE CHOSE, QUAND IL APPRENDRA QUE SES COMPLICES DE PARAMARIBO N'ONT PAS RÉUSSI À FAIRE CE QU'ILS DEVAIENT.

IL Y EN AURA D'AUTRES. À BAHIA MÊME. AU FAIT, QUAND ARRIVERONS-NOUS ?

SI TOUT CONTINUE AINSI, JE PENSE QUE NOUS ARRIVERONS DANS UNE DIZAINE DE JOURS.

QUELQUES JOURS APRÈS, À BAHIA...

EH ! NON, MA CHÈRE ! TU NE PEUX PAS POSER AINSI TES TAROTS. LE TEMPS ET LA BONNE VOLONTÉ NE SUFFISENT PAS POUR ÊTRE UN BON INTERPRÈTE ; IL FAUT UNE PRÉDISPOSITION NATURELLE.

J'AI PASSÉ UNE SEMAINE SUR CHAQUE ARCANE...

PENDANT LES TROIS DERNIÈRES SEMAINES, DANS LE JEU DES TROIS DIABLES, LE SCORPION EST BIEN PARU SEPT FOIS ; IL EST LE SIGNE DE L'EAU, GOUVERNÉ PAR MARS ET PLUTON... IL EST ACCOMPAGNÉ DU CANCER ET DES GÉMEAUX... PEUX-TU ME DIRE CE QUE FONT CES TROIS SIGNES TOUJOURS ENSEMBLE ?

JE PENSE QU'IL S'AGIT DE CEUX QUE NOUS ATTENDONS. LE SIGNE DE TON FRÈRE EST LE VERSEAU, LE TIEN EST CELUI DES GÉMEAUX ; DONC VOUS N'AVEZ RIEN À VOIR.

CELA SIGNIFIE QU'IL Y A UN AUTRE GÉMEAUX AVEC TRISTAN ET SES AMIS ?

COURAGE, MORGANA. IL N'EST PAS DIT QUE TOUS LES GÉMEAUX SOIENT INCAPABLES D'ÊTRE ENSEMBLE... SURTOUT SI C'EST POUR PEU DE TEMPS. SAIS-TU QUE L'ENNEMI DE TON PÈRE, L'AVOCAT, EST ARRIVÉ À BAHIA ? IL LOGE À LA BARRA.

75

C'EST "BOUCHE DORÉE" QUI ME L'A DIT. IL EST SÛREMENT VENU POUR LES LETTRES QUE TU POSSÈDES ET QUI DÉMONTRENT QUE TU ES LA SEULE HÉRITIÈRE DE LA COMPAGNIE FINANCIÈRE ATLANTIQUE.

ALLONS CHEZ LUI... ET LIQUIDONS TOUT DE SUITE L'AFFAIRE.

AH!... MORGANA!... MES LEÇONS ET CELLES DE BOUCHE DORÉE N'ONT SERVI À RIEN. LES CHOSES DU DESTIN DOIVENT SUIVRE LEUR COURS NATUREL. UNE CHAÎNE DE FLEURS EST QUELQUEFOIS PLUS DIFFICILE À BRISER QU'UNE CHAÎNE EN ACIER...

QUI LE SURVEILLE ?

LES "CAPOEIRA" DE CHAME CHAME... EN CE MOMENT TON FRÈRE AUSSI EST EN TRAIN D'ARRIVER.

VOILÀ, ÇA C'EST LA MAISON DE MORGANA BANTAM.

ON T'A DÉJÀ VU !

OH ! MON DIEU ! C'EST TRISTAN BANTAM.

QUEL BEAU GARÇON ! COMME IL RESSEMBLE À SA SŒUR !

APPELEZ MORGANA !

MAIS... MOI... JE CHERCHE...

78

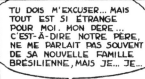

MORGANA !...

TU DOIS M'EXCUSER... MAIS TOUT EST SI ÉTRANGE POUR MOI. MON PÈRE... C'EST-À-DIRE NOTRE PÈRE, NE ME PARLAIT PAS SOUVENT DE SA NOUVELLE FAMILLE BRÉSILIENNE, MAIS JE... JE...

TU NE DOIS T'EXCUSER DE RIEN, TRISTAN. NOTRE JOIE EST SI GRANDE ET T'AVOIR ICI AVEC NOUS EST UNE CHOSE SI IMPORTANTE QU'ELLE N'A PAS BESOIN D'EXPLICATIONS. OGOUN FERRAILLE EST À NOUVEAU PARMI NOUS... NOTRE PÈRE REVIT EN TOI.

CEUX-CI SONT TES AMIS ?

OUI... JE TE PRÉSENTE MONSIEUR CORTO MALTESE ET LE PROFESSEUR STEINER.

MADEMOISELLE MORGANA VOUS ÊTES UN RAVISSANT MYSTÈRE... NOUS AVONS REÇU VOS MESSAGES TÉLÉPATHIQUES.

VOUS AVEZ UNE EXPLICATION SCIENTIFIQUE POUR TOUT, MONSIEUR STEINER.

IL EXISTE POURTANT QUELQUE CHOSE QUI N'A PAS D'EXPLICATION SCIENTIFIQUE... LA MAGIE NOIRE PAR EXEMPLE. LIMONADE, TRISTAN ?

OUI, MERCI.

MORGANA, LA PERSONNE QUE NOUS ATTENDIONS SERA LÀ... PEUT-ÊTRE QUE TON FRÈRE ET SES AMIS AURONT BESOIN DE SE REPOSER AVANT DE PARLER DES CHOSES POUR LESQUELLES ILS SONT VENUS...

TU AS RAISON, BAHIANINHA. J'AVAIS TOUT À FAIT OUBLIÉ QUE NOUS ATTENDIONS CETTE VISITE. BIEN, OCCUPEZ-VOUS DES INVITÉS. JE PENSERAI À MON FRÈRE... VIENS, TRISTAN.

TU SERAS BIEN ICI. MA CHAMBRE EST À CÔTÉ.

À PLUS TARD... MON CHER TRISTAN !

TOUT CECI EST BIEN ÉTRANGE. JE ME DEMANDE CE QUE DIRAIENT MES AMIS À LONDRES...

MAIS... ET CE VENT ?

MAIS QU'EST-CE QU'IL M'ARRIVE ?... EST-CE UN RÊVE ?

MON DIEU !... OÙ SUIS-JE ?... OÙ EST PASSÉE LA MAISON ?

TRISTAN !

QUI EST-CE ?

C'EST MOI, TRISTAN, TON OMBRE. DANS CE PAYS LES OMBRES PEUVENT PARLER.

C'EST DE LA FOLIE !

83

85

QUI SUIS-JE... QUI SUIS-JE ?!... QU'IMPORTE DE SAVOIR QUE JE SUIS TOI-MÊME, TA PROJECTION QUI SE MATÉRIALISE DANS LE PASSÉ... OU DANS LE FUTUR. TU AS COMPRIS ?

NON!

MAIS OUI, TRISTAN... TU CHERCHES UN MONDE LOINTAIN. LA MEILLEURE FAÇON DE LE RETROUVER EST DE REVIVRE TOUTES TES VIES PASSÉES. ICI TU ES DANS LE ROYAUME DE MU.

TU ES MILLE ET MILLE FOIS MILLE VIES DE TA RACE QUI EST LA CINQUIÈME DEPUIS LE COMMENCEMENT. CELLE DE MU EST LA QUATRIÈME ; LA "RACE ATLANTIDE".
VENANT D'UNE AUTRE PLANÈTE, LES HOMMES VOLANTS DÉTRUIRONT BIENTÔT CET EMPIRE, MAIS SI TU LE DÉSIRES TU POURRAS EMPORTER DANS TON MONDE CELUI DE LA CINQUIÈME RACE. LA TÊTE DE MORT DU DIEU TEZCATLIPOCA.

IL N'Y A PAS DE TRÉSOR SUR TOUTE LA TERRE COMPARABLE À CETTE RELIQUE. LA POSSÉDANT TU SERAS LE MAÎTRE DE TON DESTIN.

OUI... IL S'EN EST RAPPROCHÉ AVEC L'AIDE DE LA MAGIE MAIS IL N'A PAS PU RÉALISER SA MISSION. TU ES LÀ POUR LA CONTINUER. JE TE DONNERAI LES MOYENS DE RESTER EN CONTACT AVEC NOTRE MONDE. AINSI NOUS POURRONS REVIVRE EN TOI. MAINTENANT, REGARDE !

TEZCATLIPOCA ! NOTRE FRÈRE, ACCOMPAGNE TRISTAN BANTAM DANS SON VOYAGE DE RETOUR...

TU AS ÉTÉ CHOISI POUR MAINTENIR LE CONTACT ENTRE NOTRE DIMENSION ET CELLE DU FUTUR.

FRÈRE SERPENT PLUMÉ, POUR RETOURNER DANS SON MONDE TRISTAN BANTAM DOIT ÊTRE SACRIFIÉ !

TU AS RAISON, LE CHANT ANTIQUE LE DIT AUSSI : LE CINQUIÈME MOIS NOUS FAISIONS UNE GRANDE FÊTE... EN L'HONNEUR DE TEZCATLIPOCA... EN TUANT UN JEUNE HOMME SANS DÉFAUTS PHYSIQUES... QUE LES PRÊTRES S'APPROCHENT !

JE NE VEUX PAS MOURIR...
JE NE VEUX PAS... NON...
NON... MON DIEU, L'AVOCAT
MILNER EST LÀ AUSSI !!!

TU TE RÉVEILLES,
TRISTAN... TU AS EU
UN CAUCHEMAR !

IL Y A UN MOMENT QUE JE
T'OBSERVE... TU SEMBLAIS
TRÈS INQUIET DANS LE
SOMMEIL. AH !... TRISTAN, TRISTAN,
LES CHOSES DE LA VIE SONT
BIEN ÉTRANGES. JE SUIS VENU
POUR CETTE SŒUR EN CHOCOLAT
QUE TU AS ET VOILÀ
QUE JE TE
RETROUVE !

JE VOUS INTERDIS DE PARLER AINSI DE MA SOEUR. VOUS ÊTES UN MISÉRABLE ! VOUS AVEZ VOULU ME FAIRE TUER PAR UN TUEUR À GAGES DE PARAMARIBO ET J'AI DES RAISONS DE PENSER QUE VOUS N'ÊTES PAS ÉTRANGER À LA MORT DE MON PÈRE...

C'EST JUSTE, TRISTAN. L'ADMINISTRATEUR DE SON PATRIMOINE C'EST MOI, ET EN ÉLIMINANT SES DEUX SEULS HÉRITIERS, TOUT M'APPARTIENDRA.

MAIS POURQUOI? VOUS ÉTIEZ L'AMI DE MON PÈRE !

L'AMITIÉ EXISTE JUSQU'AU MOMENT OÙ ELLE FINIT ET JE SUIS UN HOMME AUX VICES COÛTEUX... J'AI DONC TOUJOURS BESOIN D'ARGENT...

JE NE PUIS VOUS MONTRER TOUT MON MÉPRIS QU'AVEC UNE GIFLE, MAIS JE VOUDRAIS QUE MONSIEUR CORTO MALTESE FÛT À MA PLACE...

CORTO MALTESE ?... AH OUI... L'INDIVIDU QUI M'A ENVOYÉ UNE POUPÉE PLEINE D'ÉPINGLES À LONDRES...

TU SAIS, TRISTAN, QU'APRÈS AVOIR REÇU LE VAUDOU LES BUREAUX ET LA MAISON DE LONDRES ONT BRÛLÉ ? J'AIMERAIS LE RENCONTRER... VIVANT, TON AMI !!!

SATISFAIT, L'AVOCAT ?

D'OÙ SORTEZ-VOUS ? J'AI LAISSÉ DES HOMMES À L'ENTRÉE, COMMENT ÊTES-VOUS ARRIVÉ ICI ?

SIMPLEMENT PARCE QUE J'ÉTAIS DÉJÀ DANS LA MAISON.

COMMENT !.. NOUS AVIONS FOUILLÉ TOUTE LA MAISON ET FAIT TOUT LE MONDE PRISONNIER. OÙ ÉTIEZ-VOUS CACHÉ ?

TU ES UN GROS CURIEUX! C'EST UNE QUESTION TROP INDISCRÈTE.

ÉPARGNEZ-MOI VOS SARCASMES, HÉROS DE POCHE.

JE NE VEUX PAS ÊTRE UN HÉROS... ÊTRE UN COUPE-COU ME SUFFIT. AS-TU DE L'ARGENT AVEC TOI?

OU... OUI!..

BIEN, ALORS TU IRAS À LA FENÊTRE ET TU JETTERAS L'ARGENT À TES HOMMES EN LEUR DISANT QUE POUR CETTE NUIT TU N'AS PLUS BESOIN D'EUX ET QUE TU LES REVERRAS DEMAIN.

TOUT VA BIEN, PEDRINHO... JE RESTE ICI... VOUS POUVEZ ALLER... PAIE LES HOMMES. AU REVOIR ET À DEMAIN...

MERCI BEAUCOUP, PATRON, ET BONSOIR!

BONSOIR!

ÇA VA BIEN?

TRÈS BIEN. ET MAINTENANT DESCENDONS PASSER UN MOMENT AVEC LES MAÎTRES DE MAISON!

TRISTAN! VA PRÉVENIR CAYENNE QUE NOUS SOMMES AVEC NOTRE AMI MILNER.

TOUT DE SUITE.

AIMES-TU JOUER AUX CARTES, AVOCAT?

EN AVANT, BOUGE UN PEU CE GROS DERRIÈRE...

AH ! BRAVO !... VOUS VOUS ADONNEZ AU VICE SANS NOUS INVITER... VOUS N'ÊTES PAS GENTILS.

CORTO MALTESE, J'AI ESSAYÉ D'ARRÊTER L'AVOCAT ET SES SBIRES MAIS ILS M'ONT ENFERMÉ AVEC LES FEMMES...

JE COMPRENDS CELA, MAIS COMMENT SE FAIT-IL QUE CES DEUX SORCIÈRES ROMANTIQUES SE SOIENT LAISSÉ SURPRENDRE... JE ME TROMPE OU VOUS ÊTES EN BAISSE COMME DISEUSES DE BONNE AVENTURE.

PEUT-ÊTRE AS-TU RAISON, OU PEUT-ÊTRE TE TROMPES-TU, JOLI LOUVETEAU DE MER !

DANS LE SOLITAIRE DE BOUCHE DORÉE, LES CARTES DISENT QU'IL NE FAUT PAS FORCER LE DESTIN ET QU'IL FAUT TOUT LAISSER TEL QUEL. LE VALET DE PIQUE, SIGNE DES GÉMEAUX INTERFÉRENTS, ÉLIMINERA LE ROI DE DENIER ET DE CARREAU.

AH! SI LE SOLITAIRE DE BOUCHE DORÉE LE DIT, C'EST UNE AUTRE AFFAIRE. ENTRE-TEMPS NOUS FERONS UNE PETITE PARTIE DE CARTES.

JE NE JOUE PAS !

TU AS TORT, PARCE QUE DE TON JEU DÉPENDRA TA VIE. SI TU GAGNES, JE TE LAISSERAI ALLER APRÈS M'AVOIR SIGNÉ UNE CONFESSION DE TES MÉFAITS... SI TU PERDS, JE TE METS DANS UNE CAISSE EN FER AVEC DES TROUS... ET TU VOLES DANS L'OCÉAN.

VOUS NE POUVEZ PAS ME FAIRE ÇA... C'EST UN ABUS.

TU PLAISANTES ?... APRÈS CE QUE TU AS FAIT À TRISTAN ET À SA SŒUR... NOUS POUVONS TE FAIRE N'IMPORTE QUOI... BAHIANINHA, COUPE.

BIEN, VOUS JOUEREZ AU DEMI-POKER AMÉRICAIN, JEU DE CARTES RÉGULIER SANS JOKERS... OUVERTURE AVEC AS. JE COUPE ET JE MÉLANGE, PUIS VOUS DISTRIBUEZ.

CARTES MAGNIFIQUES, BAHIANINHA... AH... J'OUBLIAIS... JE SUIS UN TRICHEUR, AVOCAT, POUR LA MORALE JE TE PRÉVIENS, AINSI IL N'Y AURA PAS DE RÉCLAMATIONS PLUS TARD.

JE NE CROIS PAS QUE VOUS RÉUSSIREZ À GAGNER AVEC MOI, CORTO MALTESE... J'AI FLUSH DE CARREAU !

INCROYABLE !... MAIS... JE GAGNE AVEC CINQ AS.

CE N'EST PAS POSSIBLE, IL Y A SEULEMENT QUATRE AS DANS UN JEU DE CARTES.

EN EFFET. DANS TOUTE MA VIE DE JOUEUR JE N'AI JAMAIS VU UNE PARTIE PAREILLE...

TU M'AS APPELÉ, CORTO MALTESE ?

CAYENNE, J'AI GAGNÉ AU CARTES LA VIE DE L'AVOCAT MILNER... ET TOUT À COUP JE ME SUIS RAPPELÉ QU'UN DE TES AMIS EST MORT À CAUSE DE LUI DANS LE BAGNE DE SAINT-LAURENT...

... ET J'AI PENSÉ QUE TU AURAIS AIMÉ RECEVOIR L'AVOCAT MILNER COMME CADEAU D'ANNIVERSAIRE.

C'EST UN CADEAU MAGNIFIQUE, CORTO. JE LE DÉBOUCHERAI LE JOUR DE MA FÊTE, LE 18 JUIN.

99

LE 18 JUIN !... ALORS C'EST VOUS CELUI DES GÉMEAUX INTERFÉRENTS, TOUJOURS PRÉSENT DANS LE SOLITAIRE DE BOUCHE DORÉE, LE VALET DE PIQUE QUI ÉLIMINAIT LE ROI DE CARREAU...

JE NE COMPRENDS RIEN À CE QUE VOUS DITES, MAIS SI CELA NE VOUS ENNUIE PAS, CE SERA BIEN QUE JE M'EN AILLE AVEC "LE CADEAU" AVANT L'AUBE.

D'ACCORD, CAVENNE... MAIS ES-TU SÛR D'EN SORTIR TOUT SEUL AVEC CELUI-LÀ ?

NE ME FAIS PAS RIRE!... JE T'ASSURE QUE TU N'ENTENDRAS PLUS PARLER DE LUI. ADIEU, CORTO, CELA M'A FAIT PLAISIR DE VOUS CONNAÎTRE.

JE REGRETTE DE LE VOIR PARTIR... MAIS JE SUIS CONVAINCU QU'UN JOUR NOUS REVERRONS CAVENNE...

VOILÀ LES DOCUMENTS QUE NOTRE PÈRE M'AVAIT CONFIÉS, AVANT DE PARTIR POUR LONDRES... IL AVAIT DÉCOUVERT LES RUINES D'UNE CIVILISATION TRÈS ANCIENNE DANS LE HAUT XINGU...

...ET IL DONNE ICI LES INDICATIONS POUR Y ARRIVER. IL ÉTAIT CERTAIN QUE CES RUINES ÉTAIENT LIÉES AUX CONTINENTS PERDUS DE L'ATLANTIDE ET DE MU.

IL ÉCRIT ICI QUE PENDANT PLUSIEURS NUITS IL AVAIT SENTI LA PRÉSENCE D'ANTIQUES FORCES COSMIQUES ET QUE PENDANT QUELQUES MINUTES IL LUI SEMBLA ÊTRE PRESQUE ARRIVÉ À LA SOLUTION DU PROBLÈME MYTHIQUE DE MU.

IL S'AGIT PEUT-ÊTRE DES MÊMES RÊVES QUE J'AI FAITS... HIER SOIR ... À PEINE ASSIS DANS MA CHAMBRE, JE SUIS TOMBÉ DANS UN SONGE... J'AI EU UN CAUCHEMAR... J'AI MÊME REÇU LE CRÂNE DE TEZCATLIPOCA EN HOMMAGE. QUAND JE ME SUIS RÉVEILLÉ, LE CRÂNE N'ÉTAIT PLUS LÀ, ET L'AVOCAT MILNER SE TROUVAIT DEVANT MOI.

TOCK! TOCK! TOCK!

IL N'Y A PERSONNE !

IL Y AVAIT SEULEMENT CE SAC EN PEAU.

ÉCOUTE... LE VENT DIT QUE C'EST POUR TRISTAN.

JUSTE CIEL ! LE CRÂNE DE TEZCATLIPOCA.

MAIS ALORS, QUE M'ARRIVE-T-IL ? JE RÊVE ENCORE ...

TU N'AVAIS PEUT-ÊTRE PAS RÊVÉ AVANT ... CETTE RELIQUE EST D'UN AUTRE MONDE.

C'EST UNE HISTOIRE INCROYABLE... CE N'EST PAS POSSIBLE !

TRISTAN, LE MONDE OÙ NOUS VIVONS EST HEUREUSEMENT LIMITÉ.
PEU DE PAS SUFFISENT POUR SORTIR DE NOTRE CHAMBRE, PEU D'ANNÉES POUR SORTIR DE NOTRE VIE ; MAIS SUPPOSONS QUE DANS CE PETIT ESPACE TOUT À COUP OBSCUR, NOUS NOUS PERDIONS, SOUDAIN AVEUGLES... ALORS TOUT PARAÎTRA ÉNORME ET NOTRE CHAMBRE GRANDE, INCROYABLEMENT GRANDE, AU POINT D'EN ÊTRE IMPOSSIBLE...

IMPOSSIBLE !... ET POURTANT UNE RÉPONSE PEUT TOUT EXPLIQUER; ET PUIS TU POSERAS CENT AUTRES QUESTIONS, IL Y AURA CENT AUTRES RÉPONSES... TU VERRAS QUE L'ABSOLU N'EXISTE NI DANS UN SENS NI DANS UN AUTRE... QUE TOUT EST POSSIBLE.

CETTE AVENTURE EST HORS DE MA DIMENSION... JE PROPOSE UNE PROMENADE EN BATEAU.

VA VERS ITAPOA, LÀ NOUS TROUVERONS BOUCHE DORÉE, LA MAÎTRESSE DE MAGIE DE MORGANA.

J'AI VRAIMENT ENVIE D'ÊTRE AVEC LES AMIS DE AREJA BRANCA.

IL FAIT BEAU AUJOURD'HUI ET JE SUIS CONTENT.

103

MON CHER STEINER, JE NE T'AI JAMAIS PARLÉ DE CE GALION ESPAGNOL CHARGÉ D'OR QUI COULA SUR LA CÔTE NORD DU BRÉSIL, PRÈS DE BELEM.

UN GALION CHARGÉ D'OR... NAUFRAGÉ !...

OUI. ENTRE LES ROCHERS DE L'ÎLE DE MARACA DANS LA GUYANE BRÉSILIENNE.

COMMENT L'AS-TU APPRIS, CORTO ?

OH ! AVANT-HIER J'AI RENCONTRÉ LA MOMIE DE CLÉOPÂTRE AU CAFÉ ET J'AI BAVARDÉ AVEC ELLE ; C'EST ELLE QUI M'A RACONTÉ L'HISTOIRE DU GALION.

IL EST EN TRAIN DE SE MOQUER DE NOUS.

ET NON, MES CHERS ! C'EST VOUS QUI AVEZ COMMENCÉ CETTE HISTOIRE DE FANTÔMES, DE MORTS ET COMPAGNIE ... JE POURRAIS BIEN AVOIR DROIT MOI AUSSI À MES PETITS MORTS, N'EST-CE PAS ? DONC JE RÉPÈTE ... ME TROUVANT AVEC CLÉOPÂTRE JE LUI DIS...

III

SAMBA AVEC TIR FIXE

JE SUIS CURIEUX DE VOIR CETTE FAMEUSE PLAGE D'ITAPOA...

C'EST UN BEAU COIN, J'Y AI PASSÉ DES JOURNÉES MAGNIFIQUES !

TU SAIS, CORTO, J'AI L'IMPRESSION DE T'AVOIR DÉJÀ VU. IL Y AVAIT UN VOILIER QUI FAISAIT ROUTE VERS BUENOS AIRES. UN DES MATELOTS QUI AVAIT DÉSERTÉ EST RESTÉ PARMI NOUS, PUIS UN BEAU JOUR IL A DISPARU... N'ÉTAIT-CE PAS TOI ?

MIEUX VAUT NE PAS FAIRE DE RECHERCHES SUR LE PASSÉ DE NOS INVITÉS, EXCUSEZ-NOUS, CORTO MALTESE.

OH! CE N'EST PEUT-ÊTRE PAS LUI.

SI, C'ÉTAIT BIEN MOI, CE MARIN... BAHIANINHA A UNE EXCELLENTE MÉMOIRE. DU RESTE IL N'Y A QUE CINQ ANS DE ÇA.

MORGANA, QUI EST CETTE "BOUCHE DORÉE" QUE NOUS ALLONS VOIR?

C'EST UNE MAGICIENNE. C'ÉTAIT VRAIMENT UNE AMIE DE NOTRE PÈRE. QUAND J'ÉTAIS PETITE, ELLE ET BAHIANINHA M'ONT ENSEIGNÉ LA MAGIE NOIRE.

VOICI LA PLAGE D'ITAPOA !

BOUCHE DORÉE TE SEMBLERA ÉTRANGEMENT JEUNE D'ASPECT, ET POURTANT... IL Y A DES VIEILLARDS À BAHIA QUI JURENT L'AVOIR TOUJOURS CONNUE AINSI.

TU EN JUGERAS TOI-MÊME. C'EST ELLE QUI T'A ENVOYÉ LES MESSAGES TÉLÉPATHIQUES ET C'EST ELLE QUI CONTRÔLE NOS INTÉRÊTS AVEC L'ASSURANCE "ATLANTIQUE"... ELLE NOUS ATTEND LÀ-HAUT !

MA CHÈRE MORGANA, BAHIANINHA, JE SUIS SI CONTENTE DE VOUS VOIR ... L'AVOCAT, VOTRE ENNEMI, EST PARTI POUR UN VOYAGE D'OÙ IL NE REVIENDRA PAS ! OUI...OUI... QUELQUE CHOSE ME DIT QU'IL NE REVIENDRA PLUS !!!

COMMENT VAS-TU, MA CHÈRE ? LA RENCONTRE AVEC TON FRÈRE A DÛ ÊTRE MERVEILLEUSE ...OH ! TU AS BIEN FAIT DE VENIR AVEC LUI !

BOUCHE DORÉE, JE TE DOIS TOUT !

SOTTISES, MORGANA !... MAIS VOUS AUTRES, AVANCEZ, OU EST-CE QU'UNE PAUVRE VIEILLE VOUS FAIT PEUR ? CE JOLI MARIN DOIT ÊTRE... ATTENDEZ... NE ME LE DITES PAS...

...DOIT ÊTRE... M. CORTO MALTESE... OUI...OUI... C'EST BIEN LUI.

BONJOUR, MADAME !

CORTO MALTESE...LE MARIN... L'AMI D'OGOUN FERRAILLE. OUI... OUI...CORTO MALTESE...LE FILS DE LA "NIÑA DE GIBRALTAR..."

COMMENT FAIS-TU POUR SAVOIR CES CHOSES ?...

112

ÉCOUTE, CORTO MALTESE ...VIENS AVEC MOI ...

OUI ...OUI... JE VIENS AVEC TOI ... OUI ...OUI !...

J'AI UNE AFFAIRE À TE PROPOSER, CORTO !

JE SUIS TOUT OREILLES, BOUCHE DORÉE !

DANS LE "SERTÃO", J'AI DES AMIS QUI ONT DES ENNUIS, ET SEUL UN TYPE COMME TOI PEUT LES AIDER. POUR ÉVITER TOUT MALENTENDU, JE TE DIS TOUT DE SUITE QUE L'ACTION QUE JE TE PROPOSE EST BASÉE SUR DE SAINS PRINCIPES MORAUX.

HALTE !... MA CHÈRE BOUCHE DORÉE, AVANT TOUT, SACHE QUE JE NE CROIS PAS AUX PRINCIPES ...OUI ...OUI... C.E QUI PEUT TE SEMBLER JUSTE, POUR MOI PEUT ÊTRE UNE ERREUR ... ET AINSI, DE MORALES IL Y EN A PLUSIEURS, OUI ...OUI ...

ILS ONT BESOIN D'ARMES ET D'ARGENT. UN BATEAU COMME LE VÔTRE N'ÉVEILLERA PAS DE SOUPÇONS ET MON AMI RECEVRA CE DONT IL A BESOIN POUR CONTINUER SA LUTTE. TU AS COMPRIS, CORTO MALTESE ? OH...OUI...OUI... TU PEUX REMONTER LE SÃO FRANCISCO JUSQU'À LA LIMITE DU "SERTÃO" ET LUI LIVRER LE MATÉRIEL !... OUI...OUI...

OH...OUI...OUI, MILLE LIVRES STERLING, C'EST UNE BELLE SOMME. PEUT-ÊTRE BIEN QUE J'IRAI. OH...OUI...OUI...

TU VEUX ÊTRE TROP MALIN, CORTO MALTESE, ET C'EST LÀ TA LIMITE... MAIS JE SAIS UNE CHOSE DE TOI : DANS LE FOND TU ES HONNÊTE, ET C'EST CE QUI NOUS CONVIENT.

LES FEMMES AURAIENT DÛ ÊTRE MA RUINE DEPUIS LONGTEMPS.

OH...OUI...OUI... MAIS TU ES TOUJOURS SUR TES GARDES, N'EST-CE PAS?

J'ESSAYE, J'ESSAYE... BOUCHE DORÉE!

ALORS, SI TU ES D'ACCORD NOUS EMBARQUERONS LA MARCHANDISE DEMAIN!

ÇA VA, BOUCHE DORÉE, DEMAIN NOUS ARRANGERONS TOUT.

QUELQUES JOURS PLUS TARD...

ES-TU SÛR QUE LE GOUVERNE- MENT N'A RIEN À VOIR DANS TOUTE CETTE HISTOIRE? COMMENT EST-IL POSSIBLE QU'UN COLONEL PUISSE GOUVERNER UNE PARTIE D'UN ÉTAT FÉDÉRAL SANS QUE LE GOUVERNEMENT SOIT D'ACCORD?!

JE N'AI PAS DIT QU'IL N'EST PAS D'ACCORD, ÇA NE M'INTÉRESSE PAS.

BOUCHE DORÉE A SES PROJETS, LE COLONEL LES SIENS ET MOI LES MIENS...

JE N'ARRIVE PAS À TE COMPRENDRE, TU AS DES ATTITUDES D'HOMME GÉNÉREUX... HONNÊTE, ET PUIS TOUT À COUP TU DEVIENS FROID ET CALCULATEUR...

JE ME TROMPE PEUT-ÊTRE... ET PUIS CE N'EST CERTAINEMENT PAS UN IVROGNE COMME MOI QUI PEUT DÉCIDER OÙ SE TROUVE LA VÉRITÉ. MAIS ÇA M'ENNUIE DE TE VOIR IMPLIQUÉ DANS DES HISTOIRES D'INTÉRÊT...
TU M'AS L'AIR D'UN TYPE COMPLÈTEMENT EN DEHORS DU CALCUL... DES PROGRAMMATIONS... DES PETITES MISÈRES DE TOUS LES JOURS...

ÉCOUTE, MON VIEUX, IL Y A LONGTEMPS QUE JE FAIS FACE À MES PROBLÈMES TOUT SEUL ET JE T'ASSURE QUE JE N'AI AUCUNE ENVIE DE CHANGER, TOUT SIMPLEMENT PARCE QUE LE PREMIER VENU ME CONSEILLE DE LE FAIRE...

..JE T'AI PRIS AVEC MOI PARCE QUE TU ES SYMPATHIQUE... MAIS SI TU VEUX FAIRE DE LA CENSURE, TU DOIS CHANGER D'ADRESSE... TU VOIS, STEINER, JE NE SUIS PAS ASSEZ SÉRIEUX POUR DONNER DES CONSEILS ET JE LE SUIS TROP POUR EN RECEVOIR. DÉSORMAIS, NE SOIS PAS ENFANTIN ET LAISSE-MOI VIVRE COMME JE VEUX.

BONJOUR, M. CORTO MALTESE... BONJOUR, M. STEINER.

ON ÉTOUFFE DANS LA CABINE. LA SEULE QUI DORME TRANQUILLEMENT C'EST MORGANA.

J'ENTENDS LE BRUIT D'UN MOTEUR...

IL VIENT PAR UN AUTRE BRAS DU FLEUVE.

121

122

...UNE COMPAGNIE ANGLO-AMÉRICAINE POUR L'EXPLOITATION DU TRAVAIL INDIGÈNE DEVAIT EXAMINER LES PROJETS DE MONSIEUR LE COLONEL GONÇALVES, ET POUR CELA ILS ONT ENVOYÉ LE PROFESSEUR STEINER COMME REPRÉSENTANT!

"EXPLOITATION" DU TRAVAIL INDIGÈNE?...D'UNE COMPAGNIE ANGLO-AMÉRICAINE AVEC DES REPRÉSENTANTS MARITIMES AUX OREILLES TROUÉES ET DES PSEUDO-PROFESSEURS? TOUT CELA SONNE FAUX COMME UNE MONNAIE EN ÉTAIN.

AH!...ÇA COMMENCE BIEN. POURQUOI NE ME CROYEZ-VOUS PAS? APRÈS TOUT, VOTRE GOUVERNEMENT AUSSI SE FAIT REPRÉSENTER PAR UN CAPITAINE D'OPÉRETTE COMME VOUS.

CRACK!

UN COUP DE FEU !... MAIS QU'EST-CE QUI SE PASSE SUR LA CANONNIÈRE ?...

JE NE COMPRENDS PAS... MAIS LE COUP DE FEU VENAIT DE LA RIVE.

LÀ, SUR L'ARBRE !

CE SONT DES "CANGAÇEIROS"... PEUT-ÊTRE LES AMIS DE BOUCHE DORÉE !

130

QU'EST-CE QU'IL T'ARRIVE, "TIR FIXE" ? TU N'ES PAS CONTENT DE REVOIR LES AMIS ? JE RÊVAIS JUSTEMENT DE TOI QUAND DES COUPS DE FEU M'ONT ÉVEILLÉE...

COMMENT VAS-TU, MORGANA ? AS-TU DES NOUVELLES DES AMIS DE BAHIA ?

OUI, C'EST BOUCHE DORÉE QUI NOUS ENVOIE...

COMMENT ?... MA SŒUR CONNAÎT CE BANDIT ?

TAIS-TOI !!!

132

BIEN, TIR FIXE, CE QUE JE DEVAIS FAIRE JE L'AI FAIT. SI VOTRE CHEF EST MORT, JE N'Y PEUX RIEN. LES ARMES ET L'ARGENT QUE VOUS ENVOIE BOUCHE DORÉE SONT DANS LE YAWL.

OH!...OUI, LES ARMES ET L'ARGENT MAIS LE RÉDEMPTEUR N'EST PLUS AVEC NOUS. LUI ÉTAIT UN SYMBOLE, LE PEUPLE L'ÉCOUTAIT ET MÊME LE GOUVERNEMENT CENTRAL ÉTAIT DISPOSÉ À PARLER AVEC LUI. IL ÉTAIT LE SEUL À POUVOIR DÉNONCER LES CRIMES DU COLONEL...

D'ACCORD. VOUS AVEZ PEUT-ÊTRE PERDU UN GRAND HOMME, MAIS APRÈS TOUT UN CHEF QUI LAISSE SES GENS SANS DIRECTION ET SE FAIT PRENDRE PAR LES ENNEMIS COMME UN ENFANT POUR RÉGLER SES AFFAIRES PERSONNELLES NE ME PARAÎT PAS TRÈS COMPÉTENT.

134

135

AU DÉBUT J'ÉTAIS SEMBLABLE À TANT D'AUTRES. LA SEULE RÉPONSE AUX INJUSTICES DU COLONEL ÉTAIT LA RÉVOLTE. ICI, POUR SE FAIRE RESPECTER IL FAUT AVOIR UN FUSIL EN MAIN ET SAVOIR S'EN SERVIR... PUIS LE RÉDEMPTEUR ARRIVA ET PARLA D'UNE AUTRE FAÇON.

TIR FIXE, QUE FAISONS-NOUS DES PRISONNIERS ?

IL FAUT LES FUSILLER !!!

MAIS, DIS-MOI, TU N'ARRIVES À PENSER QU'AVEC DE LA POUDRE SOUS LE DERRIÈRE ? QU'EST-CE QU'AURAIT FAIT LE RÉDEMPTEUR DANS CE CAS ? FAIS COMME IL AURAIT FAIT ET RÉPANDS LE BRUIT QUE LE RÉDEMPTEUR EST VIVANT ET COMBAT ENCORE LE COLONEL. TU VERRAS QUE PETIT À PETIT LE PEUPLE TE SUIVRA !

138

TU AS CONTRIBUÉ À LA NAISSANCE D'UN NOUVEAU CHEF POLITIQUE.

NON, TIR FIXE ÉTAIT DÉJÀ UN CHEF. MOI JE TRAVAILLE POUR MES STERLINGS.

JE N'AI JAMAIS VU QUELQU'UN DE PLUS ROMANTIQUE QUE TOI ...JE PARIE QU'EN AUTOMNE TU VAS T'ASSEOIR TOUT SEUL SUR LE BANC D'UN PARC...

OÙ EST CETTE PROPRIÉTÉ DU COLONEL?

NOUS DEVONS REMONTER LE SAN FRANCISCO JUSQU'À SANTA ANNA DO SOBRADINHO... C'EST UNE ZONE DE PÉTROLE, GRINGO!

139

141

CRACK!
CRACK!
CRACK!

CRACK!
CRACK!
CRACK!

QUELQUES CENTAINES DE MÈTRES PLUS LOIN, LA CANONNIÈRE A UNE PANNE DE CHAUDIÈRE.

ÉCOUTE, CORTO MALTESE, UNE MITRAILLEUSE... ET NOUS NE POUVONS PAS BOUGER !

OUI... CE SONT LES HOMMES DU COLONEL. DÉCLENCHE LA SIRÈNE, AINSI IL COMPRENDRA QUE NOUS ARRIVONS.

145

BIEN, JE DESCENDS À TERRE. SI JE NE SUIS PAS DE RETOUR DANS UNE HEURE...

...RENTREZ À BAHIA. NOUS NOUS RETROUVERONS LÀ.

LA MITRAILLEUSE DOIT ÊTRE DERRIÈRE CETTE MAISON.

LA VOILÀ ! ILS ONT BLOQUÉ LES HOMMES DE TIR FIXE DANS LA GRANDE MAISON...

147

EH !
TIR FIXE !...
C'EST
FINI !

EH ...TIR FIXE !
QUE
T'ARRIVE-T-IL ?

149

IL A ÉTÉ BLESSÉ QUAND IL A TUÉ CES DEUX-LÀ. L'UN D'EUX DOIT ÊTRE LE COLONEL... JE SUIS ARRIVÉ TROP TARD...

...TROP TARD...ET CES GENS ONT PERDU UN SECOND CHEF.

UN CHEF PAREIL NE SE TROUVE PAS SI FACILEMENT. LE RÉDEMPTEUR ET PUIS TIR FIXE...CETTE RÉVOLTE...

...A COÛTÉ CHER...ILS ONT ÉLIMINÉ LE COLONEL...MAIS IL Y AURA TOUJOURS UN NOUVEAU COLONEL QUI ABUSERA DE DES GENS...

POUR CHAQUE COLONEL IL Y AURA CENT TIR FIXE, GRINGO... NOUS AVONS APPRIS LA LEÇON ET C'EST UNE LEÇON QUE NOUS N'OUBLIERONS PAS ...

COMMENT T'APPELLES-TU, JEUNE HOMME ?

CORISCO DE SÃO JORGE ...

ALORS, CORISCO DE SÃO JORGE, PRENDS LE CHAPEAU DE TIR FIXE ET CONTINUE EN SON NOM LA LUTTE CONTRE LE DRAGON DE LA MÉCHANCETÉ.

MERCI, GRINGO, JE NE T'OUBLIERAI PAS !

ET MAINTENANT, FAISONS ENTRER TIR FIXE DANS LA LÉGENDE.. METTEZ LE CORPS DU COLONEL À SES PIEDS..

152

...NOUS DEVONS PARTIR MAINTENANT... BOUCHE DORÉE DEVRA ORGANISER TOUT UN NOUVEAU RÉSEAU D'AGENTS POUR AIDER CE JEUNE HOMME CONTRE LES AVENTURIERS DU SUD.

CROIS-TU QU'IL ARRIVERA À COMBATTRE CONTRE LES GOUVERNEURS DU SUD ?

TU PEUX EN ÊTRE CERTAIN. ET APRÈS LUI IL EN VIENDRA UN AUTRE ET PUIS UN AUTRE ENCORE, JUSQU'À CE QU'ILS SOIENT LIBRES ET OBTIENNENT JUSTICE ...ILS NE PEUVENT PLUS REVENIR EN ARRIÈRE !

IV

L'AIGLE DU BRÉSIL

SUR LA PLAGE D'ITAPOA PRÈS DE SÃO SALVADOR DE BAHIA, AU BRÉSIL, SE TROUVE LA DEMEURE DE BOUCHE DORÉE, LA GRANDE MAÎTRESSE DE MAGIE...
SUR LA VÉRANDA FACE AUX LONGUES VAGUES DE L'ATLANTIQUE, CORTO MALTESE PARESSE DANS LE BRUISSEMENT DES COCOTIERS.

TU AS FAIT DU BON TRAVAIL DANS LE "SERTÃO"... CE GARÇON, CORISCO DO SÃO JORGE, A CONTINUÉ LA LUTTE CONTRE D'AUTRES ESCLAVAGISTES ET AVEC SUCCÈS. OUI, OUI, C'EST DU BEAU TRAVAIL.

JE SAIS, J'EN AI DÉJÀ ENTENDU PARLER.

AH! CORTO MALTESE, POURQUOI FAIS-TU TOUJOURS SEMBLANT DE TE DÉSINTÉRESSER DE TOUT CE QUI SE PASSE AUTOUR DE TOI?

...TA MÈRE, LA NIÑA DE GIBRALTAR, AVAIT UN CARACTÈRE PLUS OUVERT... OH ! MAIS J'ALLAIS OUBLIER CECI !...

CES PIÈCES D'OR SONT POUR TOI, EN PAIEMENT DE TON AIDE APPORTÉE À TIR FIXE.

JE N'EN VEUX PAS. C'EST UN PEU DE MA FAUTE SI TIR FIXE EST MORT... DONNE-LES À SES GENS.

OH ! JE VOIS, TU ES TOUJOURS AUSSI ORGUEILLEUX, TU VEUX FAIRE UN BEAU GESTE. MAIS DEMAIN TU REGRETTERAS DE NE PAS LES AVOIR EN POCHE...

D'ACCORD... DEMAIN JE PLEURERAI, MAIS AUJOURD'HUI NOUS FERONS COMME JE DIS !

QU'EST-CE QUE TU AS, MALTESE ?...

TU PENSES À UN ANCIEN GALION ESPAGNOL COULÉ ENTRE LES ÉCUEILS DE L'ÎLE DE MARACÀ ?

ON NE PEUT RIEN TE CACHER...TU SAIS SI BIEN LIRE DANS LES PENSÉES DES AUTRES ? MAIS VOILÀ MORGANA BANTAM, TON ÉLÈVE.

BONJOUR ! MON FRÈRE TRISTAN A PRÉPARÉ LE YAWL ET VOUS ATTEND SUR LE MÔLE, TOI ET LE PROF. STEINER.

BONJOUR, JOLI MATELOT !

EH BIEN, MORGANA, AUJOURD'HUI NOUS REPARTONS VERS LE NORD. TON FRÈRE DOIT RENTRER EN ANGLETERRE. QUE PENSES-TU FAIRE ?

IL Y A TANT DE CHOSES À FAIRE. LA PLUS IMPORTANTE EST DE FAIRE MARCHER NOTRE FINANCIÈRE ATLANTIQUE. C'EST ELLE QUI NOUS PERMET DE CONTINUER NOTRE LUTTE...CELLE DE MES GENS.

ATTENTION À CE QUE TU DIS, MORGANA. TRISTAN AUSSI FAIT PARTIE DE TES GENS... ET LE PROF. STEINER ET TANT D'AUTRES...

MORGANA ! MORGANA !...

ON T'APPELLE !

C'EST LUCIA...

163

LE TOGO EST UNE COLONIE ALLEMANDE. COMMENT CET INSIGNE EST-IL ARRIVÉ ICI ?!!

168

CORTO MALTESE A TOUJOURS
DES RÉACTIONS IMPRÉVUES !
VOILÀ QU'IL TRAITE LES GENS
À COUPS DE PIEDS
MAINTENANT !

CORTO, LE YAWL EST
PRÊT. SI TU VEUX,
NOUS POUVONS PARTIR.

QU'EST-CE
QUI EST
ARRIVÉ ?

RIEN DE SPÉCIAL... J'AI RENCONTRÉ
QUELQU'UN QUI VOULAIT ME RACONTER
UNE HISTOIRE !

VOUS AVEZ PRIS UN VILAIN COUP SUR LA TÊTE !

AH ! NE T'EN FAIS PAS, TRISTAN, NOTRE AMI EN A UNE TRÈS DURE...

OH ...OUI...OUI...LA MÊME TÊTE QUE SON TRISAÏEUL QUE J'AI CONNU DURANT LA DEUXIÈME INVASION ANGLAISE À BUENOS AIRES.

ALORS, JOLI MARIN, TU PARS ?

JE SUIS BIEN OBLIGÉ...JE NE SUIS PAS DE CEUX QUI PRENNENT RACINE !

173

JE NE T'OUBLIERAI JAMAIS.

MOI NON PLUS !

JOLIE FILLE, N'EST-CE PAS ?

OUI !

PROFESSEUR, VOICI UNE ANCIENNE AMULETTE. ELLE TE PORTERA BONHEUR !

MERCI, MORGANA !

C'EST LE SIGNE DE SALOMON, UN SYMBOLE TRÈS ANCIEN. ON LE VIT POUR LA DERNIÈRE FOIS À JÉRUSALEM, AU XVe SIÈCLE. LE RETROUVER ICI À BAHIA EST ÉMOUVANT. COMMENT EST-CE POSSIBLE, TOUT CELA ?...

IL Y A TANT DE CHOSES MYSTÉRIEUSES. EN VOICI UNE.

A BIENTÔT, CORTO MALTESE !

ET QUOI QU'IL ARRIVE, NE PENSE PAS DE MAL DE MOI !

À BIENTÔT, CORTO MALTESE !

C'ÉTAIT BIEN À BAHIA AVEC MORGANA ET BOUCHE DORÉE...

ON M'A DIT QUE PLUSIEURS BATEAUX SUR L'ATLANTIQUE ONT DISPARU.

DES BATEAUX ALLIÉS !...TU OUBLIES QU'EN EUROPE IL Y A LA GUERRE ? QU'EN PENSES-TU, CORTO ?

QUELS BATEAUX ?

IL DOIT Y AVOIR DES SOUS-MARINS ALLEMANDS DANS L'ATLANTIQUE.

JE N'ARRIVE PAS À COMPRENDRE COMMENT ILS FONT POUR SE RAVITAILLER, ÉTANT SI ÉLOIGNÉS DE LEURS BASES.

APRÈS QUELQUES JOURS DE MER...

MA SŒUR MORGANA M'A ENVOYÉ BEAUCOUP D'ARGENT DE LA FINAN-CIÈRE ATLANTIQUE À LONDRES POUR QUE JE PUISSE CONTINUER MES ÉTUDES.

MORGANA EST UNE FILLE FORMIDABLE.

SANS AUCUN DOUTE... ASSEZ MYSTÉRIEUSE, AUSSI... DONC, VOYONS UN PEU CE QUE NOUS RACONTE CETTE CARTE.-

VOICI L'ÎLE DE MARAJÁ. SUR LES ÉCUEILS DE LA POINTE SE FRACASSÈRENT TROIS GALIONS EN 1580. LES HOLLANDAIS POURSUIVAIENT CELUI DES ESPAGNOLS, CHARGÉ D'OR, MAIS SOUDAIN UN OURAGAN LES PROJETA SUR MARAJÁ. NOUS CHERCHERONS DEMAIN L'ENDROIT EXACT.

DIS-MOI UN PEU, COMMENT FAIS-TU POUR ÊTRE SÛR DE RETROUVER L'ENDROIT EXACT APRÈS PLUS DE 300 ANS ?

J'AI TROUVÉ LA NOTICE ET LA POSITION EXACTE DANS UN VIEUX LIVRE DE LA BIBLIOTHÈQUE INDIENNE DE LA CATHÉDRALE DE SÉVILLE.

DANS LA CATHÉDRALE DE SÉVILLE?... JE NE TE SAVAIS PAS SI RELIGIEUX.

ET TU AS TORT, JE SUIS TRÈS RELIGIEUX...

MAIS JE SAIS QUE TU ES CURIEUX ET JE NE TE DIRAI PAS EN QUI JE CROIS !

REGARDEZ !...

UNE CHANGADA !!! ELLE SEMBLE À LA DÉRIVE.

IL Y A QUELQU'UN D'ÉTENDU... IL EST PEUT-ÊTRE BLESSÉ.

ET JUSTEMENT !... S'ILS NE VEULENT PAS DE TÉMOINS C'EST PARCE QU'ILS N'ONT PAS LA CONSCIENCE TRANQUILLE. ÉCOUTE, STEINER, JE DESCENDS À TERRE AVEC TRISTAN POUR RECONNAÎTRE LES LIEUX. NE T'INQUIÈTE PAS !...

J'ESSAYERAI DE FAIRE QUELQUE CHOSE POUR LE BLESSÉ !

TRISTAN, LARGUE LES AMARRES !

BIEN, M. CORTO !

NOUS DEVONS CHERCHER UNE BONNE PLACE POUR BIVOUAQUER. FAIS ATTENTION OÙ TU MARCHES.

POURQUOI ?

IL PEUT Y AVOIR DES SERPENTS, DES SCORPIONS, DES ARAIGNÉES ...ENFIN UN PEU DE TOUT ...

DIABLE ! JE ME SENS DÉJÀ EMPOISONNÉ !

UNE CHEMINÉE ET DEUX MÂTS... EN FER... C'EST LE BATEAU QU'A RENCONTRÉ LE PÊCHEUR BLESSÉ.

UN AIGLE... DANS LA JUNGLE... C'EST UN NAVIRE FANTÔME ALLEMAND. SOUS SON ASPECT PACIFIQUE SE CACHE UN CROISEUR AUXILIAIRE.

CECI EXPLIQUE LA DISPARITION DES NAVIRES ALLIÉS DANS CETTE ZONE DE L'ATLANTIQUE. CE QUI N'EST PAS CLAIR, C'EST COMMENT ILS FONT POUR SE RAVITAILLER EN CHARBON, ET OÙ.

ILS SIGNALENT PAR FANAUX.

OUI!... ILS COMMUNIQUENT AVEC QUELQU'UN QUI SE TROUVE DERRIÈRE NOUS SUR LA COLLINE... ILS VEULENT AVOIR DES NOUVELLES D'UN AUTRE BATEAU QUI S'APPROCHE.

LE PLUS GRAND, JE LE CONNAIS DÉJÀ.

VOILÀ LE SIGNAL !

BIEN, JE RENTRE À BORD. VOUS SIGNALEREZ QUAND LE BATEAU SERA À L'ENTRÉE DE L'ESTUAIRE.

TIENS, TIENS, ON SE RETROUVE... SI BOUCHE DORÉE, MORGANA ET LA BAHIANINHA ÉTAIENT LÀ, NOUS POURRIONS BOIRE UNE TASSE DE CHOCOLAT COMME POUR UN ANNIVERSAIRE.

?

QUI ÊTES-VOUS ? DE QUOI VOUS MÊLEZ-VOUS ?

MAIS JE NE COMPRENDS PAS ... JE VOUS AI DÉJÀ VU QUELQUE PART ?

CERTAINEMENT, CHEZ MORGANA DIAS DO SANTOS BANTAM !

AH ! C'EST VRAI ! M. CORTO MALTESE. FRANCHEMENT JE NE M'ATTENDAIS PAS À VOUS RENCONTRER ICI.

MOI NON PLUS ... MAIS J'AI APPRIS À NE JAMAIS ÊTRE TROP SURPRIS ... QUE FAITES-VOUS DE BEAU, CAMOUFLÉ EN EXPLORATEUR ROMANTIQUE ?

JE CONDUIS DES RECHERCHES SUR LES COUTUMES DES INDIENS CARAÏBES ... MAIS JE NE COMPRENDS PAS VOTRE TON IRONIQUE ...

NE SOYEZ PAS SI SUSCEPTIBLE, BARON ! VOUS N'AVEZ PAS BESOIN DE M'EXPLIQUER POURQUOI VOUS ENDOSSEZ UN UNIFORME DE LA MARINE COLONIALE ALLEMANDE, NI POURQUOI VOUS ÊTES AVEC DEUX SOLDATS AFRICAINS DU TOGO, NI POURQUOI IL Y A UN BATEAU PIRATE ALLEMAND SUR LE FLEUVE...

UN BATEAU PIRATE ? QU'EST-CE QUI VOUS FAIT PENSER UNE CHOSE PAREILLE ?

LE FAIT QUE MOI AUSSI J'AI ÉTÉ UN PIRATE.

CE BATEAU-LÀ EST UN CROISEUR AUXILIAIRE CAMOUFLÉ EN INNOCENT CARGO BANANIER QUI ATTEND D'ÊTRE RAVITAILLÉ.

VOUS AVEZ ENVOYÉ DES SIGNAUX AU BATEAU QUI VIENT AVEC LE RAVITAILLEMENT. C'EST UN NAVIRE BRÉSILIEN... ET, QUE JE SACHE, LE BRÉSIL N'EST PAS EN RELATIONS AMICALES AVEC L'ALLEMAGNE, EN CE MOMENT... DONC...

...IL DOIT S'AGIR D'UNE COMPAGNIE INDÉPENDANTE, QUI GAGNE UN TAS D'ARGENT AVEC VOTRE GOUVERNEMENT. VOUS ÉTIEZ CHEZ Mlle MORGANA DIAS DO SANTOS BANTAM À BAHIA, QUI EST LA PROPRIÉTAIRE DE LA FINANCIÈRE ATLANTIQUE DES TRANSPORTS MARITIMES !

À QUOI SOMMES-NOUS EN TRAIN DE JOUER ?... VOUS AUSSI ÉTIEZ CHEZ Mlle MORGANA BANTAM. MAIS SI VOUS DITES TOUT CELA, ÇA SIGNIFIE QUE VOUS IGNOREZ L'ACTIVITÉ DE MORGANA. NE BOUGEZ PAS !!!

AH ...FACE À DE TELS ARGUMENTS... QUI BOUGERAIT ?

IL Y A QUELQU'UN AVEC VOUS ?

OUI, MA TANTE !

DES COUPS DE SIFFLET ? ON DIRAIT DES SIGNAUX !!!

189

CORTO MALTESE EST PEUT-ÊTRE EN DANGER... LES SIFFLEMENTS VENAIENT DE PAR LÀ !

CORTO MALTESE... AU SECOURS ! AU SECOURS !

190

MERCI, MONSIEUR LE SOLDAT... JE VOUS DOIS LA VIE !

FAITES ATTENTION, GROS MALIN, QU'UNE BALLE NE S'ÉCHAPPE DE VOTRE PISTOLET.

CE GÉANT M'A SAUVÉ LA VIE !

OUI, NOUS NOUS SOMMES DÉJÀ RENCONTRÉS... JE VOUS REMERCIE D'AVOIR SAUVÉ TRISTAN, LE FRÈRE DE MORGANA.

AH ! UN FRÈRE ANGLAIS POUR UNE JEUNE FILLE NOIRE QUI EST NOTRE AGENT COMMERCIAL À BAHIA... FRANCHEMENT, TOUT CECI EST TRÈS OBSCUR. DE TOUTE FAÇON, VOUS ÊTES MES PRISONNIERS.

MA SŒUR, AGENT DES ALLEMANDS?...
VOUS ÊTES UN MENTEUR. MORGANA
EST ANGLAISE DU CÔTÉ DE SON
PÈRE... ELLE NE TRAHIRAIT JAMAIS
SES GENS. EN PLUS, NOUS SOMMES
AU BRÉSIL QUI EST NEUTRE...
QUE FAITES-VOUS EN UNIFORME
ALLEMAND?

RESTE TRANQUILLE, TRISTAN.
LE BARON EST AGENT DE
LIAISON ENTRE LE BATEAU
FANTÔME ET SES
FOURNISSEURS
MARITIMES ICI
AU BRÉSIL...

LE BATEAU EST RAVITAILLÉ
EN COMBUSTIBLE PAR
QUELQUE NAVIRE-ATELIER
ET PUIS REPREND SA
COURSE DE GUERRE
SUR LA ROUTE DES
ALLIÉS.

TRÈS JUSTE, M. CORTO MALTESE.
J'AI ÉTÉ CHOISI POUR CETTE
MISSION PARCE QUE JE FUS
CONSUL COMMERCIAL DE MON
GOUVERNEMENT EN ANGOLA
PORTUGAISE ET DANS CETTE
PARTIE DU BRÉSIL. MAIS
NOUS DEVONS
PARTIR...

LE BATEAU BRÉSILIEN VA BIENTÔT
ENTRER DANS LE FLEUVE OÙ SE
TROUVE LE NÔTRE. VOUS SEREZ
LIVRÉS AU COMMANDANT.

194

TRÈS HABILE TOUT CECI ... HABILE LE BUREAU D'INTEL-LIGENCE BRITANNIQUE. MAIS VOUS N'AVEZ RIEN GAGNÉ EN ME DISANT ÇA ...JE NE VOUS COMPRENDS PAS... LE NAVIRE DE RAVITAILLEMENT EST ARRIVÉ DE TOUTE FAÇON !!!

OUI ! LE NAVIRE-ATELIER EST ARRIVÉ, MAIS AVEC DES PLANS BIEN DIFFÉ-RENTS DE CEUX QUE VOUS IMAGINEZ. LE BUREAU DE SÉCURITÉ BRITANNIQUE EST D'ACCORD AVEC LA FINANCIÈRE ATLANTIQUE ...

BOUCHE DORÉE ET MORGANA DIAS DO SANTOS SONT DES AGENTS DE L'ESPIONNAGE COMMERCIAL ANGLAIS ET ELLES ONT TROMPÉ LES AGENTS ALLEMANDS EN ACCEPTANT DE RAVITAILLER LEUR NAVIRE DE COURSE ... POUR L'ÉLIMINER ... JE SUIS L'AGENT DE LIAISON ENTRE LE BUREAU ANGLAIS ET LA FINANCIÈRE ATLANTIQUE .

ALLONS SUR LA COLLINE. L'AUTRE SIGNALEUR NE SAIT ENCORE RIEN DE MA VÉRITABLE IDENTITÉ... EN AVANT, BARON ! ...

DIABLE ! TU AS TROMPÉ TOUT LE MONDE AVEC TON ASPECT DE GORILLE ET TES JOUES PLEINES DE TATOUAGES.

QUE VEUX-TU ! JE N'AI PAS CHOISI MES PARENTS. ILS PENSAIENT QUE J'ÉTAIS PLUS MIGNON AVEC LES TATOUAGES.

DU RESTE, TOI AUSSI TU AS UNE OREILLE TROUÉE... EH ! LÀ, C'EST NOUS !!!

ABADA, IL Y A DES CHOSES QUI TE SURPRENDRONT MAIS NE T'EN FAIS PAS. RESTE TRANQUILLE ET IL NE T'ARRIVERA RIEN !

VOILÀ... NOUS POUVONS INFORMER LE COMMANDANT DU BATEAU BRÉSILIEN QU'IL PEUT CONTINUER À SUIVRE LE PLAN DE BOUCHE DORÉE.

PARFAIT. LE PLAN "BOUCHE DORÉE" SUIT SON COURS ET IL MARQUE LA FIN DU NAVIRE MYSTÈRE ALLEMAND.

DIS-MOI UN PEU... POURQUOI PARTICIPES-TU À CETTE GUERRE ?

POUR AIDER À ÉLIMINER LES COLONIES ALLEMANDES EN AFRIQUE. QUAND LA GUERRE SERA FINIE NOUS TRAVAILLERONS POUR ÉLIMINER CELLES DE L'ANGLETERRE. IL FAUT BIEN COMMENCER, N'EST-CE PAS ?

OUI... PEUT-ÊTRE...

SUR LE BATEAU ALLEMAND.

LE BARON N'EST PAS ENCORE RENTRÉ MONSIEUR.

AH !!

AH ! POURVU QU'IL NE SOIT RIEN ARRIVÉ AU BARON... ENVOYEZ UNE PATROUILLE LE CHERCHER.

BIEN, MONSIEUR.

POURQUOI A-T-IL TUÉ LE BARON ?

EH !... MARIN ... COMMENT VA BOUCHE DORÉE ?

BOUCHE DORÉE VA BIEN.

SUR LE BATEAU ALLEMAND.

LE CARGO BRÉSILIEN APPROCHE... ÉTRANGE...LA LIGNE DE FLOTTAISON EST TRÈS HAUTE PAR RAPPORT AU NIVEAU DE L'EAU...

AH ! DIABLE ! CE BATEAU EST VIDE, NOUS VOILÀ PRIS AU PIÈGE !

COMMENT ÇA VA... MARIN ?...

TOUT VA COMME PRÉVU... LE BATEAU ALLEMAND NE SORTIRA PLUS DU FLEUVE. LE BATEAU BRÉSILIEN A COULÉ JUSTE À L'EMBOUCHURE.

CORTO MALTESE, LES ALLEMANDS S'EN VONT...

EH OUI !... LE SERGENT AUSSI !

IL EST MORT ?

OUI, TRISTAN, MAIS L'AIGLE ALLEMAND RESTERA POUR TOUJOURS ICI À SE ROUILLER ENTRE MARÉES HAUTES ET MARÉES BASSES. LES BATEAUX ALLIÉS POURRONT PASSER TRANQUILLEMENT.

PARTONS, AVANT QUE LES ALLEMANDS NE CHANGENT D'IDÉE ET NE REVIENNENT POUR SE VENGER.

TA SŒUR MORGANA ET BOUCHE DORÉE ONT RENDU UN GRAND SERVICE À L'AMIRAUTÉ ANGLAISE ET À MOI UN MAUVAIS SERVICE.

QU'AVEZ-VOUS À VOIR DANS TOUT CECI ?

J'AI BEAUCOUP À VOIR DANS CECI... LE GALION ESPAGNOL QUE JE CHERCHAIS SE TROUVE EXACTEMENT SOUS LE CARGO BRÉSILIEN COULÉ DANS L'EMBOUCHURE DU FLEUVE.

QUELLE COÏNCIDENCE !

COÏNCIDENCE ? AH ! JE NE CROIS PAS, TRISTAN... BOUCHE DORÉE ET MORGANA ONT DIT AU BARON D'ENVOYER ICI LE CROISEUR ALLEMAND POUR FAIRE D'UNE PIERRE DEUX COUPS.

L'ARMÉE BRÉSILIENNE VIENDRA SURVEILLER L'ÉQUIPAGE ALLEMAND, SI ELLE LE TROUVE... ET LA "FINANCIÈRE" DE TA SŒUR PENSERA À RÉCUPÉRER LE CARGO BRÉSILIEN ET CE QUI SE TROUVE EN DESSOUS, ...C'EST-À-DIRE LE GALION ET L'OR !!

MAIS MORGANA NE PEUT PAS TE FAIRE ÇA !

ET POURQUOI PAS ? NOUS N'AVONS PAS FAIT DE TRAITÉ COMMERCIAL, ELLE ET MOI... TA SŒUR A FAIT CE QUE J'AURAIS FAIT À SA PLACE. MAIS AVEC ELLE IL Y A BOUCHE DORÉE ...ALLONS, STEINER NOUS ATTEND.

PEU APRÈS... LES MARINS BRÉSILIENS QUI ONT FAIT COULER LEUR BATEAU SONT PARTIS AVEC LE PÊCHEUR BLESSÉ ...ILS L'ONT DIT QUE DEMAIN ...MAIS TU NE M'ÉCOUTES PAS, CORTO, À QUOI PENSES-TU ?

JE PENSE QUE LES FEMMES SERAIENT MERVEILLEUSES SI TU POUVAIS TOMBER DANS LEURS BRAS SANS TOMBER ENTRE LEURS MAINS.

V

... ET NOUS REPARLERONS DES GENTILSHOMMES DE FORTUNE

...LE VOILÀ. DEPUIS LA DER-NIÈRE FOIS IL EST SEULE-MENT UN PEU PLUS CALCIFIÉ...

MÊME SANS CETTE LONGUE-VUE ENFONCÉE DANS LE CRÂNE, IL NE DEVAIT PAS AVOIR UN BEL ASPECT.

QUI ÉTAIT-CE?

QUI LE SAIT?... EN REGARDANT DANS CETTE LUNETTE...

ON VOIT TOU-JOURS CE VIEUX TRONC MORT.

J'AI CREUSÉ SOUS L'ARBRE ET TOUT AUTOUR MAIS JE N'AI RIEN TROUVÉ...ET POURTANT LE CRÂNE AVEC LA LUNETTE SUR LE TUMULUS EN PIERRE FAIT PARTIE D'UNE DEVINETTE...

ET SOUS LE TUMULUS, QU'EST-CE QU'IL Y A?

LES RESTES DE CELUI À QUI APPARTIENT LE CRÂNE... SUR CET ÎLOT, IL N'Y A QU'UN PETIT FORT ESPAGNOL ABANDONNÉ, CE TUMULUS ET CE VIEUX TRONC... J'AI TROUVÉ TOUTES CES INDICA-TIONS INSCRITES SUR...

...CETTE CARTE À JOUER. C'EST UN CONTREBANDIER À SHANGAÏ QUI ME L'A DONNÉE AVANT DE MOURIR. UN AS DE TRÈFLE GRAVÉ SUR UN OS DE BALEINE.

18° 24' LAT. NORTH.

65° 03' LONG. WEST.

...IL Y A QUATRE AS DANS UN JEU, ET MIS ENSEMBLE ILS DONNENT LA SOLUTION POUR TROUVER... COMME D'HABITUDE LE TRÉSOR!

QUI POSSÈDE LES TROIS AUTRES AS?

UNE DESCENDANTE DE BARRACUDA LE TOUCHE-À-TOUT À BASSETERRE DE SAINT-KITTS EN A UN.

BARRACUDA LE TOUCHE-À-TOUT ?

LE BARRACUDA EST UN POISSON TERRIBLE DONT LA MORSURE EST MORTELLE ET C'EST AINSI QUE S'APPELAIT UN PIRATE CRÉOLE DE MARIE-GALANTE, À CAUSE DE SA MÉCHANCETÉ. C'EST À PEU PRÈS EN 1700 QUE...

... AVEC CAPITAN TEACH BLACK BEARD DE BRISTOL, CALICO RACKMAN JACK, ET AGONIE LA BELLE DE LA ROCHELLE, ILS PRIRENT LE "FORTUNE ROYALE", UN GALION ESPAGNOL CHARGÉ D'OR, TRANSBORDÈRENT LE TOUT SUR UN SLOOP QU'ILS CONFIÈRENT À UN AMI, LE "SANTO", LE CHARGEANT DE CACHER LE BUTIN...

JE ME SOUVIENS DE CETTE HISTOIRE... LE SANTO CACHA LE NAVIRE ET LES QUATRE PIRATES DEVAIENT LE CHERCHER... CELUI QUI L'AURAIT TROUVÉ AURAIT TOUT GARDÉ.

UNE ESPÈCE DE COMPÉTITION AVEC LE PRIX POUR LE PLUS FORT. LE SANTO GRAVA LES QUATRE CARTES EN OS DE BALEINE AVEC LES INDICATIONS PRÉCISES POUR RETROUVER L'OR...

...PUIS IL CACHA LES CARTES DANS QUATRE LIEUX DIFFÉRENTS ET À CHACUN DES QUATRE GENTILSHOMMES DE FORTUNE IL DONNA LES INDICATIONS POUR TROUVER LES AS... UNE CHASSE AU TRÉSOR DU "FORTUNE ROYALE" SE DÉCLENCHA ALORS ET, AUJOURD'HUI, ELLE CONTINUE ENCORE.

BARRACUDA FUT TUÉ DANS DES CIRCONSTANCES PEU CLAIRES, TEACH BLACK BEARD FUT MASSACRÉ PAR LES VOLONTAIRES VIRGINIENS DANS LA CAROLINE DU NORD... CALICO RACKMAN FUT PENDU À PORT ROYAL, JAMAÏQUE... ET AGONIE LA BELLE EUT POUR UN MOMENT TROIS AS EN MAIN, MAIS IL DEVINT FOU À CAUSE DE L'EFFORT ACCOMPLI ET SA MALLE DE MARIN AVEC LES TROIS CARTES...

...FUT RETROUVÉE CHEZ UN MARCHAND DE BRIC-À-BRAC À PARIS EN 1790. C'EST UN PRINCE RUSSE QUI L'ACHETA ET POUR UN CERTAIN TEMPS ON NE SUT PLUS RIEN DES CARTES EN OS DE BALEINE... DE... **BALEINE**...

ET DIRE QUE J'AI TOUJOURS PENSÉ QUE C'ÉTAIT UNE HISTOIRE FASCINAN-TE !...

ZZZZZ !

QUELQUES JOURS APRÈS.

ICI, À BASSETERRE DE SAINT-KITTS, HABITE LA DESCENDANTE DIRECTE DE BARRACUDA TOUCHE-A'-TOUT, MISS AMBIGUITÉ DE POINCY. ET AMBIGUITÉ POSSÈDE UN AS DU SANTO. JE VAIS LUI RENDRE VISITE.

212

CETTE MAISON DOIT ÊTRE CELLE D'AMBIGUÏTÉ. IL N'Y A PERSONNE ?

AH... BONJOUR, JE SUIS LE COMMANDANT CORTO MALTESE. ET JE VOUDRAIS PARLER À MISS AMBIGUÏTÉ DE POINCY.

VEUILLEZ AVOIR L'AMABILITÉ D'ATTENDRE. JE VAIS AVERTIR.

ÇA VA, DRAKE. JE CONNAIS DE RÉPUTATION M. CORTO MALTESE. ENTREZ... ENTREZ, JE VOUS PRIE.

JE N'AI PAS PU ANNONCER MA VISITE...

CE N'EST RIEN. CE N'EST RIEN. MAIS ASSEYEZ-VOUS !

PAR ICI, JE VOUS PRIE. MAIS EN QUOI PUIS-JE VOUS ÊTRE UTILE ? VOUS VOULEZ PEUT-ÊTRE ACHETER UN BON "BOIS" ? J'EN SUIS DÉPOURVUE EN CE MOMENT.

BIEN.
VOUS DITES,
COMMAN-
DANT ?

UNE
RESSEMBLANCE
INCROYABLE !

AH !...VOUS PARLEZ DU TABLEAU ?
OUI... C'EST UN DE MES AÏEUX,
UN GENTILHOMME DE FORTUNE.
IL S'APPELAIT
BARRACUDA
TOUCHE-À-TOUT.

VOULEZ-VOUS DU
RHUM FROID AVEC
DU LAIT DE COCO ?

C'EST UNE BONNE
BOISSON QUI AIDE À
DÉLIER LA LANGUE...
DE QUOI VOULIEZ-VOUS
ME
PARLER ?

DES QUATRE
AS EN OS
DE BALEINE !

214

LES QUATRE CARTES EN OS DE BALEINE ?... C'EST UNE HISTOIRE POUR VIEUX MARINS SAOULS.

ALORS NOUS AUSSI SOMMES DEUX VIEUX MARINS SAOULS. VOUS AVEZ UN AS... ET MOI J'AI L'AS DE TRÈFLE. METTONS-LES ENSEMBLE ET VOYONS UN PEU CE QUI EN SORT.

L'AS DE TRÈFLE ?..IL A ÉTÉ VU LA DERNIÈRE FOIS À SAINT-PETERSBOURG.

VOUS POUVEZ LE VOIR MAINTENANT SI VOUS ME MONTREZ LE VÔTRE. SUR LE MIEN, ON VOIT LA POSITION D'UNE ÎLE AVEC UN VIEUX FORT ESPAGNOL ABANDONNÉ. SUR LES TROIS AUTRES CARTES DOIVENT FIGURER LES INDICATIONS POUR TROUVER LE TRÉSOR DU "FORTUNE ROYALE".

JE VEUX AVOIR CONFIANCE EN VOUS. VOILÀ MON AS.

ET VOICI L'AS DE TRÈFLE !

LE MIEN EST L'AS DE CARREAU. IL A TOUJOURS APPARTENU À MA FAMILLE, CELLE DE BARRACUDA.

...DIX PIEDS À GAUCHE... C'EST TOUT ?!

CE N'EST PAS BEAUCOUP, MAIS AVEC CELUI DE CŒUR NOUS EN SAURONS DAVANTAGE.

EH OUI... L'AS DE CŒUR. JE L'AI VU UNE FOIS DANS LES MAINS D'UN MOINE MYSTÉRIEUX SUR UNE ÎLE DES MERS DU SUD... PUIS LE DESTIN MÉLANGEA LES CARTES.

CE MOINE EST DISPARU ET ON NE SAIT PLUS RIEN NI DE LUI NI DE L'AS DE CŒUR.

LE COMMANDANT RASPOUTINE !!!

RASPOUTINE ?

OUI, IL EST ICI. NOUS POUVONS ALLER CHEZ LUI.

RASPOUTINE, ICI... C'EST INCROYABLE. JE L'AI LAISSÉ À PANAMA IL Y A QUELQUES MOIS.

CE QUI EST INCROYABLE C'EST QUE VOUS SOYEZ ICI POUR LA MÊME RAISON. POUR LA CHASSE AU TRÉSOR DU "FORTUNE ROYALE".

COMMENT SAVAIT-IL QUE VOUS AVIEZ UNE DES CARTES EN OS DE BALEINE ?

DE LA MÊME FAÇON QUE VOUS L'AVEZ SU, M. CORTO MALTESE ! JE SAVAIS QUE VOUS AVIEZ L'AS DE TRÈFLE ET QUE LE CAPITAINE RASPOUTINE AVAIT CELUI DE COEUR ...

MAIS... ET CELUI DE PIQUE ? PERSONNE NE SAIT OÙ IL EST... APRÈS SAINT-PETERSBOURG IL FUT TROUVÉ SUR UN ANARCHISTE À RIO GALLEGO EN ARGENTINE...

218

219

Sock!

ET VOILÀ! PORTONS-LE CHEZ LE COMMANDANT!

CAPITAINE RASPOUTINE, VOICI LE COMMANDANT CORTO MALTESE!

SPLENDIDE !!!

IL Y A LONGTEMPS QU'ON NE S'EST PAS VUS... DEPUIS PANAMA. TE SOUVIENS-TU ? LA "ESCONDIDA", LE MOINE... LES VIEUX AMIS... AH ! ÇA, C'ÉTAIT LE BON TEMPS ! MAIS QUEL HASARD DE TE RETROUVER A' SAINT-KITTS ET MÊLÉ A' LA MÊME AFFAIRE QUE MOI !.. JE T'AI TOUJOURS DANS LES JAMBES. C'EST LE DESTIN...

JE POURRAIS TE TUER EN CE MOMENT, MÊME S'IL N'Y AVAIT PAS CETTE HISTOIRE DE "FORTUNE ROYALE"...

...OU JE POURRAIS TE LAISSER UN PETIT SOUVENIR...TE COUPER LE NEZ OU T'AVEUGLER, PAR EXEMPLE...

VOILÀ ! JE POURRAIS FAIRE LES DEUX CHOSES... JE N'AI JAMAIS EU DE SYMPATHIE POUR TOI.

TU AS EU PEUR, HEIN...CORTO MALTESE... MALHEUREUSEMENT, J'AI LE CŒUR TENDRE... AVEC TOI SEULEMENT... ET JE N'OUBLIE PAS QU'UNE FOIS TU M'AS SAUVÉ LA VIE... C'EST ÇA... MOI JE N'OUBLIE JAMAIS...

ARRÊTEZ DE SOURIRE ET DE MURMURER, VOUS DEUX... VOUS AVEZ L'AIR DE DEUX PIES AMOUREUSES !

STRAP!

ELLE EST BIEN MIGNONNE, TON AMIE.

NE COMMENCE PAS À ÊTRE SARCASTIQUE.

ELLE A UN AS ET PAR CONSÉQUENT ELLE A LE DROIT DE PARTICIPER À LA CHASSE, ET N'OUBLIE PAS QUE NOUS DEVONS TOUS RESPECTER LES RÈGLES DE LA "JOYEUSE CONFRÉRIE". DANS LA J.C. OU HORS DE LA J.C. !

MAIS QU'EST-CE QUE C'EST, CETTE J.C. ?

MAIS LA "JOYEUSE CONFRÉRIE"...CRÉTIN, TU N'AS PAS ENCORE COMPRIS. AH...TU ME FERAS MOURIR, CORTO, TU ME FERAS MOURIR.

ÇA VA, J'AI COMPRIS...LA JOYEUSE CONFRÉRIE.

OUI...TOUS LES GENTILSHOMMES DE FORTUNE SE SONT RÉUNIS IL Y A DEUX MOIS À CAYMAN-BRAC ET LE 25 DÉCEMBRE 1916 ILS ONT SIGNÉ UN TRAITÉ D'ALLIANCE. COMME TU ÉTAIS ABSENT, J'AI SIGNÉ À TA PLACE...QU'EN DIS-TU ?

CROYEZ-VOUS QUE LES TROIS CARTES SUFFIRONT POUR COMPRENDRE OÙ SE TROUVE LE TRÉSOR ?

FROM the OLD TREE you can see the "Saint" WRECK

CE N'EST PAS DIFFICILE. SUR MA CARTE SE TROUVE INDIQUÉE L'ÎLE DU TRÉSOR... SUR L'AS DE CŒUR ON LIT : "DU VIEIL ARBRE ON PEUT VOIR LA CARCASSE DU SANTO...

SUR L'AS D'AMBIGUÏTÉ ON LIT : "DIX PIEDS À GAUCHE"... À GAUCHE DE QUOI ?... DE L'ARBRE ?... JE SUIS ALLÉ SUR L'ÎLE ET J'AI CREUSÉ SOUS L'ARBRE MAIS JE N'AI PAS REGARDÉ DIX PIEDS À GAUCHE... IL Y AVAIT SEULEMENT LA MER ET LES ROCHERS... EH OUI ! QUEL IMBÉCILE !...

TU AS TOUT COMPRIS ?

OUI... OUI... EN ÉTANT PRÈS DE L'ARBRE ON DOIT APERCEVOIR LES RESTES DU SANTO... ET PUISQUE LE NAUFRAGE SE FAIT OU SUR LA MER OU SUR LES ÉCUEILS...

...LE BATEAU SE TROUVE ENTRE LES ÉCUEILS QUE L'ON VOIT DE L'ARBRE?

OUI... OUI...

L'ENDROIT DU NAUFRAGE DEVRAIT ÊTRE CELUI-LÀ!

AH! AVEC TOUT CET OR ESPAGNOL NOUS REFERONS UNE BELLE SOCIÉTÉ POUR L'EXPLOITATION MARITIME, TOI ET MOI, COMME AUTREFOIS...

UN MOMENT, MESSIEURS. UNE PARTIE DE CETTE SOCIÉTÉ QUE VOUS AVEZ EN TÊTE M'APPARTIENT.

TAIS-TOI, JEUNE FILLE. JE N'AIME PAS RÊVER EN COMPAGNIE.

COMMENT... VOUS OSEZ... MAUDIT...

SCHIAFF

227

228

230

UN MOMENT... QUE SIGNIFIE LE "BATEAU EN CORAIL"?

IL EST FOU À LIER!

MOI FOU? PAUVRES IMBÉCILES!

SUIVEZ-MOI. LA MARÉE EST BASSE ET VOUS POURREZ LE VOIR, SI VOUS VENEZ ICI, PRÈS DU VIEIL ARBRE...

LE VIEIL ARBRE? MAIS OUI!... APRÈS TANT D'ANNÉES LE BATEAU DU SANTO EST TOUT COUVERT DE CORAIL.

À DIX PIEDS DU VIEUX TRONC, JE VOYAIS LES ÉCUEILS EN CORAIL QUI COUVRENT LE BATEAU ET LE TRÉSOR DU "FORTUNE ROYALE"...

CE RÉCIF VERTICAL EST LA BASE DU GRAND MÂT... EH OUI... TOUT EST CLAIR MAINTENANT, MAIS SANS CE FOU PERSONNE NE POUVAIT IMAGINER QUE LE BATEAU SE TROUVAIT SOUS DEUX SIÈCLES DE CORAIL.

MAIS MON AÏEUL EST LE PREMIER À L'AVOIR TROUVÉ... PUISQUE SES RESTES SONT ICI.

PEUT-ÊTRE... MAIS VU LE TRAITEMENT QU'IL A REÇU LA CHOSE NE DEVAIT PAS ÊTRE TRÈS RÉGULIÈRE. UNE LUNETTE ENFONCÉE ENTRE LES YEUX SIGNIFIE QU'IL REGARDAIT LÀ OÙ IL NE FALLAIT PAS. PEUT-ÊTRE QUE LE SANTO L'A SURPRIS ET L'A TUÉ. LES GENTILS-HOMMES DE FORTUNE AVAIENT LEUR CODE D'HONNEUR, PEUT-ÊTRE...

CERTAINEMENT... MAIS NE PERDONS PLUS DE TEMPS EN BAVARDAGES INUTILES... LÀ, EN DESSOUS, SE TROUVE MON OR ESPAGNOL... VITE, AVANT QUE LA MARÉE NE MONTE!

NOTRE OR, RASPOUTINE, LE NÔTRE... MAIS IL FAUT PLUS QUE DE L'ENTHOUSIASME POUR OUVRIR UNE BRÈCHE DANS CE DUR CORAIL... IL FAUT DE LA DYNAMITE.

DYNAMITE?

DANS LA CHALOUPE IL DOIT Y EN AVOIR.

QUE QUELQU'UN AILLE LA CHERCHER.

VITE, ET QUAND IL REVIENT, JE LUI FAIS UN TROU DANS LA TÊTE... TOI, CORTO...

TU PLACERAS LA DYNAMITE, N'EST-CE PAS ? TU SAIS COMMENT FONCTIONNE CETTE CHOSE-LA' ?

JE LE FERAI, MAIS ARRÊTE DE POINTER CE PISTOLET SUR MOI.

IL Y A UN MOMENT TU ME VOULAIS COMME ASSOCIÉ ET MAINTENANT TU ME MENACES... TU AS DÉJA' OUBLIÉ LA J.C. ?

QU'EST-CE QUE C'EST, CETTE J.C. ?

LA JOYEUSE CONFRÉRIE ! TU AS DÉJA' OUBLIÉ...

ARRÊTE... JE SUIS A' MON COMPTE.

TU AS TENDANCE À TOUJOURS COMMETTRE LA MÊME ERREUR. VOYONS UN PEU..

CETTE DYNAMITE SUFFIRA...TU SAVAIS QU'UNE TZIGANE M'A DIT QUE LORSQUE JE MOURRAI TOUS CEUX QUI SERONT AUTOUR DE MOI MOURRONT AUSSI ?

ÇA VA. ESPÉRONS QUE CE SERA POUR UNE AUTRE FOIS.

HMMMM !... LA MÈCHE EST COURTE ET À EFFET RAPIDE... TU ESPÈRES QUE JE VAIS SAUTER EN L'AIR D'UNE FAÇON PLUS OU MOINS LÉGALE ?

AINSI TU SAUVES LA FACE AVEC LA JOYEUSE CONFRÉRIE ET TU ÉLIMINES UN CONCURRENT.

237

AMBIGUÏTÉ A RAISON, RASPOUTINE. CE FOU SAIT PEUT-ÊTRE OÙ SE TROUVE L'OR. ESSAYEZ DE LE PRENDRE SANS LUI FAIRE DU MAL...

PAR TOUS LES DIABLES! MAIS VOUS ÊTES D'ACCORD POUR ME TRAHIR.

ARRÊTE DE DIVAGUER... VOICI LE FOU QUI NOUS CRIE QUELQUE CHOSE.

EH!... VENEZ ICI! SI VOUS AVEZ DU COURAGE. NOUS VOUS ATTENDONS... MOI ET... L'OR.

CE CRÉTIN NOUS PROVOQUE...

239

241

242

243

244

246

ATTENDS-MOI, CORTO... JE SUIS BLESSÉ ET JE NE PEUX PAS BOUGER.

MAIS JE NE TE LAISSERAI PAS ALLER TOUT SEUL. VIENS M'AIDER... QUAND JE BOUGE, CETTE BLESSURE ME FAIT MOURIR...

TU AS UNE GROSSE ÉCHARDE ENTRE LES CÔTES. IL FAUDRA L'ENLEVER.

BHE...QU'EST-CE QUE TU ATTENDS?

ZUT... VAS-Y DOUCEMENT AVEC CE COUTEAU.

COURAGE!

ET VOILÀ, YEUX DE FÉE... UNE ÉCHARDE PRÉCIEUSE!... HAW! HAW!

QU'EST-CE QUE TU AS À RIRE?

JE RIS DE TA TÊTE... ET PUIS POUR UNE AUTRE RAISON! REGARDE!

BAH... JE N'AI PAS LE TEMPS... ALLONS CHERCHER MON...NOTRE OR.

NOTRE OR?...LE VOICI. JE L'AI TIRÉ DE TON CÔTÉ. LE TRÉSOR ÉTAIT CACHÉ DANS LES CANONS DU FORT.

CE FOU A TIRÉ LES COUPS DE CANON LES PLUS RICHES DE L'HISTOIRE. IL NOUS A TOUS FAUCHÉS AVEC LES DOUBLONS ESPAGNOLS QUE LE SANTO AVAIT CACHÉS DANS LES CANONS... CECI T'APPARTIENT.

QU'EST-CE QUE TU VEUX DIRE?... QU'EST-CE QUE TU VEUX DIRE?

TU AS TRÈS BIEN COMPRIS!

NON, CE N'EST PAS POSSIBLE. TU VEUX ME VOLER MON OR... CORTO...EH, CORTO!

AMBIGUÏTÉ!

CE FOU..

... CE GOUJAT... A DIT QUE JE SUIS VILAINE... C'EST VRAI ?.... SUIS-JE VRAIMENT...

...SI... VILAINE ?.

ELLE EST MORTE ?

OUI !

TRISTE AVENTURE POUR TOUS... AMBIGUÏTÉ ET QUELQUES MARINS SONT MORTS. LE TRÉSOR DU "FORTUNE ROYALE" EST VOLATILISÉ POUR TOUJOURS, CE PAUVRE FOU A FINI SES JOURS, ET CETTE ÎLE A PERDU SON CHARME... EN QUELQUES HEURES NOUS AVONS TOUT DÉTRUIT.

ÉCOUTE...NOUS SOMMES LES SEULS A SAVOIR LA VÉRITÉ...

QU'EST-CE QUE TU VEUX DIRE ?

MAIS OUI... CORTO... NOUS AVONS TOUJOURS LES TROIS CARTES EN OS DE BALEINE ET PERSONNE NE SAIT QUE LE TRÉSOR N'EXISTE PLUS. SI NOUS RELANÇONS LA CHASSE AU TRÉSOR EN VENDANT AUX ENCHÈRES LES AS DU SANTO...

CE NE SERAIT PAS LOYAL ENVERS NOS COLLÈGUES.

ILS FERAIENT LA MÊME CHOSE AVEC NOUS.

TU CROIS?!

C'EST SÛR, ET AINSI NOUS RÉCUPÉRONS UNE PARTIE DE L'ARGENT. NOUS LE MÉRITONS, NON?

SI C'EST TOI QUI LE DIS... ÇA DOIT ÊTRE AINSI.

ET, EN PLUS, PENSE COMME NOUS NOUS AMUSERONS EN VOYANT CEUX QUI SE RUINERONT À LA RECHERCHE DE CE QUI N'EXISTE PAS.

CECI ME PLAÎT DAVANTAGE, RASPOUTINE... TU ES SYMPATHIQUE AUJOURD'HUI.

QUELQUES JOURS PLUS TARD, LE CARGO DE RASPOUTINE ARRIVE À SAINT-KITTS.

NOUS DEVONS NOUS SÉPARER ENCORE UNE FOIS... MAIS CELA DÉPEND DE TOI... SI TU VEUX NOUS POUVONS NOUS METTRE EN SOCIÉTÉ.

JE PRÉFÈRE ÊTRE EN SOCIÉTÉ AVEC UN SCORPION.

UN JOUR JE TE TUERAI, CORTO !

ET MOI JE TE TUERAI UN SOIR !

AH, CORTO... CORTO... TU PERDS BEAUCOUP À NE PAS ÊTRE MON AMI ! LARGUEZ LES AMARRES... EN ROUTE POUR CUBA.

251

252

LE GARÇON EST PARTI POUR L'ANGLETERRE. DÈS QUE LE GARÇON EST PARTI, LE VIEUX A COMMENCÉ À SE SAOULER... IL SE TROUVE AU COMMISSARIAT DU PORT.

AU COMMISSARIAT.

VINGT STERLINGS DE PÉNALITÉ, COMMANDANT... SIGNEZ ICI.

VOTRE AMI A PAYÉ LA CONTRAVENTION, PROFESSEUR. VOUS ÊTES LIBRE.

"AINSI, M. STEINER EST REMIS EN LIBERTÉ ET SES AFFAIRES PERSONNELLES LUI SONT RENDUES."

253

JE REGRETTE... AU DÉPART DE TRISTAN... JE ME SUIS SENTI SEUL ET J'AI RECOMMENCÉ À BOIRE...

BHE, QU'EST-CE QU'IL Y A DE MAL... TU ES ASSEZ GRAND POUR BOIRE TOUT CE QU'IL TE SEMBLE, NON ?

ALLONS-NOUS-EN, PROFESSEUR, ALLONS BOIRE DE BELLES BIÈRES BIEN FRAÎCHES, TU NE PEUX PAS TOUJOURS BOIRE TOUT SEUL... TU NE SERAS PAS SI ÉGOÏSTE, N'EST-CE PAS ?

JE REGRETTE DE NE PAS AVOIR SALUÉ TRISTAN.

AH... J'OUBLIAIS.

CETTE LETTRE DU BRÉSIL EST POUR TOI. ELLE EST ARRIVÉE AVEC D'AUTRES LETTRES POUR TRISTAN DE LA PART DE SA SŒUR MORGANA.

C'EST UNE LETTRE DE BOUCHE DORÉE AVEC L'AS DE PIQUE EN OS DE BALEINE...

ELLE DIT: "CHER AMI, DANS UN COFFRE, J'AI TROUVÉ CETTE CARTE. JE PENSE QU'ELLE FAIT PARTIE D'UN JEU IMPORTANT. JE TE L'ENVOIE AVEC AMOUR ESPÉRANT QU'ELLE TE SERA UTILE ET QU'ELLE POURRA ME FAIRE PARDONNER SI J'AI FAIT QUELQUE CHOSE QUI NE T'A PAS PLU... TA BOUCHE DORÉE."

C'EST L'AS DE PIQUE.. LE "FORTUNE ROYALE".. LE TRÉSOR DES PIRATES...

OUI... IL EST ÉCRIT: "DANS LES CANONS."

SI SEULEMENT CETTE LETTRE ÉTAIT ARRIVÉE UN PEU AVANT... BEAUCOUP DE CHOSES AURAIENT CHANGÉ... MAIS LES RÊVES RESTENT DES RÊVES, STEINER, ET TU ES UN TYPE QUI RÊVE TROP. ALLONS BOIRE NOS BIÈRES SOUS LES YEUX DE TOUS CEUX QUI NOUS VEULENT DU MAL.

CORTO MALTESE, J'AI OUBLIÉ DE TE DEMANDER: OÙ ÉTAIS-TU TOUS CES JOURS-CI?

OUBLIE DE ME LE DEMANDER SI TU ES UN AMI.

VI

À CAUSE D'UNE MOUETTE

PRÈS DU HONDURAS BRITANNIQUE SE TROUVE L'ÎLE DE MARACATOQUÀ, CE QUI EN LANGUE CARAÏBE SIGNIFIE "DE LA MOUETTE". CE PETIT BOUT DE TERRE S'APPELAIT DÉJÀ AINSI AVANT L'ARRIVÉE DES ESPAGNOLS.

ET CE JOUR-LÀ ELLE PORTAIT BIEN SON NOM ... AVEC CETTE MOUETTE AFFOLÉE SUR LA PLAGE ...

...ELLE L'AVAIT VU ET TOURNAIT AUTOUR DE LUI, DÉNONÇANT SA POSITION PAR SON TRISTE CRI.

C'ÉTAIT LA SAISON DE LA PONTE ET CET INTRUS S'ÉTAIT TROP APPROCHÉ DES ÉCUEILS OÙ ELLE AVAIT CACHÉ SES ŒUFS.

MAIS OUI, JE T'AI COMPRISE, MA VIEILLE... JE SAIS QUE TU AS TON NID DANS LES ALENTOURS... MAIS JE N'Y PEUX RIEN... JE SUIS CLOUÉ...

...DERRIÈRE CE ROCHER... PEUT-ÊTRE POUR TOUJOURS...

ET MAINTENANT, OÙ EST-IL ?...

ELLE EST PARTIE . JUSQU'À PRÉSENT ELLE N'A FAIT QUE SIGNALER CHACUN DE MES MOUVEMENTS ...

CE MAUDIT TYPE, EN FACE, CONNAÎT BIEN SON MÉTIER... IL Y A UNE HEURE QU'IL ME TIENT CLOUÉ ENTRE CES ÉCUEILS ...

CE TRUC A QUATRE-VINGTS ANS DE PLUS QUE LA MOMIE ...MAIS IL NE ME RESTE QUE ÇA ...

QUELLE STUPIDITÉ !... ÇA SERVIRA SEULEMENT À ABÎMER MA CASQUETTE !

CRACK !

PANNNIIIING !

...VOILÀ... ET MAINTENANT ESPÉRONS QUE SA CURIOSITÉ SERA PLUS FORTE QUE SA PRUDENCE...

JE DOIS RÉUSSIR À VISER CE GROUPE DE PALMIERS SANS QU'IL S'EN APERÇOIVE...

* LIRE LA BALLADE DE LA MER SALÉE.

265

..J'AI MAL À LA TÊTE...

..À VOUS AUSSI ?...OÙ...

..ÊTES-VOUS STEINER, TRISTAN...MORGANA ET MADAME JAVA...

UGH!

SOCK!

... QUI M'A FRAPPÉ À LA TÊTE ?...

...C'EST PEUT-ÊTRE LA MOUETTE...

CIEL...VOUS DÉLIREZ, MONSIEUR...

EH !...VOUS BRILLEZ TROP... QUI ÊTES-VOUS ?

VOTRE ANGE GARDIEN SOIT LOUÉ ! VOUS COMMENCEZ À RETROUVER LA RAISON...JE VAIS CHERCHER DU SECOURS...

EH LÀ !...VOUS ÊTES... MISSIONNAIRE ?

ELLE NE FAIT QUE PARLER DES ANGES ET DES CIEUX ...JE DOIS ÊTRE VRAIMENT MORT.

EXCUSEZ-MOI ! JE REVIENS TOUT DE SUITE...

J'AI TROP MAL À LA TÊTE POUR ÊTRE MORT... MAIS DIABLE ! QU'EST-CE QUI M'EST ARRIVÉ ?...

AH, OUI...QUELQU'UN M'A TIRÉ DESSUS ...IL ÉTAIT DERRIÈRE LES PALMIERS... ET TOUT ÇA À CAUSE DE LA MOUETTE... AUTREMENT C'EST MOI QUI L'AURAIS EU.

269

JE ...JE ...JE T'INTERDIS DE PARLER AINSI, JÉSUS-MARIE !!!

ÇA VA ...ÇA VA ...SOLEDAD...NE TE FÂCHE PAS ...NOUS L'EMPORTERONS AVEC NOUS ...

CETTE JEUNE FILLE A DÉTRUIT MON ÉQUILIBRE MERVEILLEUX ! JE NE PEUX PAS BOUGER !

QU'EST-CE QUE TU DIS ?

QUE JE NE PEUX PLUS FAIRE UN PAS ... VOUS POUVEZ ME LAISSER ICI, J'AI DES AMIS QUI VONT BIENTÔT ARRIVER ...

MAIS QUELS AMIS VEUX-TU AVOIR SUR CETTE ÎLE...

PERSONNE NE VIENT ICI... À PART QUELQUE CARAÏBE COMME MOI ! TU ES UN PARESSEUX ET C'EST TOUT...

272

ET MAINTENANT, ÉCOUTE-MOI... CARAÏBE DE QUATRE SOUS, TU NE ME FAIS PAS PEUR ET DÈS QUE JE POURRAI C'EST MOI QUI TE LIERAI UNE PIERRE AU COU... TU AS COMPRIS... JÉSUS-MARIE ...OÙ ES-TU ALLÉ PÊCHER CE NOM ?

JE NE SAIS PAS BIEN, MAIS À LA MISSION OÙ JE SUIS NÉ ILS VOUS DONNAIENT LE NOM DU SAINT DU JOUR DE VOTRE NAISSANCE. MON FRÈRE S'APPELLE "CENDRES". MAIS MAINTENANT, TAIS-TOI ! OU JE TE TUE POUR DE BON !

VOILÀ "GOLGOTHA POINT" !

ATTENTION, JÉSUS-MARIE, NE LUI FAIS PAS DE MAL...

NE T'EN FAIS PAS, SOLEDAD, CELUI-CI A LA PEAU DU CAÏMAN !

CE N'EST PAS VRAI... JE ME SENS TRÈS MAL ET CET INDIEN N'EST PAS SYMPATHIQUE !

PEU APRÈS, DANS LA MAISON.

J'ESPÈRE QUE VOUS POURREZ BIENTÔT VOUS REMETTRE...

SOLEDAD... SOLEDAD LOKÄARTH, VOUS NE VOUS APPELEZ PAS AINSI PAR HASARD ?

274

NON, MONSIEUR, JE NE SUIS PAS SOLEDAD LOKÄARTH. QUE DIEU VOUS PROTÈGE, BONNE NUIT !

OÙ DIABLE SUIS-JE TOMBÉ ...CETTE MAISON, LA FAÇON DE PARLER DE LA JEUNE FILLE ... TOUT CORRESPOND À LA DESCRIPTION DE LA FAMILLE LOKÄARTH, LES FAMEUX VOLEURS DES ANTILLES...APPELÉS "LES ÉVANGÉLISTES".

EST-CE QUE QUELQU'UN A VU JUDA LOKÄARTH ?

277

CE FOU ... A DÉCIDÉ DE MOURIR !

JÉSUS-MARIE, JE TE PRIE PAR LA VIERGE DE GUADALUPE DE LAISSER TRANQUILLE NOTRE HÔTE...

...ET VOUS, MONSIEUR, VOUS AVEZ TORT DE PROVOQUER JÉSUS-MARIE... IL N'A RIEN À VOIR DANS CECI, C'EST MOI QUI VOUS AI TIRÉ DESSUS ET JE N'AURAI PLUS DE PAIX...

MAIS JE SUIS BIEN ... JE NE SENS MÊME PLUS LE MAL DE TÊTE !

MAIS ...JE ME SENTIRAI MIEUX QUAND VOUS M'AUREZ RACONTÉ CE QUI SE PASSE DANS CETTE MAISON ... SUR CETTE ÎLE .

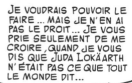

JE VOUDRAIS POUVOIR LE FAIRE ... MAIS JE N'EN AI PAS LE DROIT ... JE VOUS PRIE SEULEMENT DE ME CROIRE, QUAND JE VOUS DIS QUE JUDA LOKÄARTH N'ÉTAIT PAS CE QUE TOUT LE MONDE DIT ...

JE L'AI CONNU QUAND J'ÉTAIS PETITE, IL ÉTAIT TRÈS BON ET GÉNÉREUX ET TOUS L'AIMAIENT BIEN ... ET PERSONNE NE POURRA LE CONDAMNER POUR CE QU'IL A FAIT ... DIEU SEUL PEUT LE JUGER ... VOUS M'AVEZ DEMANDÉ SI JE SUIS SOLEDAD LOKÄARTH ...

JE VOUS AI DIT QUE ... MAIS VOUS NE M'ÉCOUTEZ PAS ?!?

MOI ?... OUI ... OUI ... JE VOUS ÉCOUTERAIS PENDANT DES HEURES ...

C'EST-À-DIRE ... OUI ... VOUS AVEZ DIT QUE JUDA LOKÄARTH "ÉTAIT" UN GRAND TYPE ... EST-IL MORT ?

OUI... IL Y A TRÈS LONGTEMPS...

IL Y A TRÈS LONGTEMPS, VOUS DITES... MAIS ON CONTINUE À LUI ATTRIBUER DES MEURTRES.

COMMENT EXPLIQUEZ-VOUS CELA ?

JE NE PRÉTENDS PAS VOUS EXPLIQUER QUOI QUE CE SOIT, MONSIEUR, EXCUSEZ MON INGÉNUITÉ !

BONSOIR... AVEZ-VOUS TROUVÉ JUDA LOKÄARTH ?...

C'EST LA VOIX DE TOUT À L'HEURE !

283

EH ! QU'EST-CE QUE VOUS LUI RACONTEZ ?

UNE VIEILLE HISTOIRE COLOMBIENNE POUR LE TENIR TRANQUILLE. BONNE NUIT... IL EST COMME UN ENFANT !

PAUVRE INFIRME... ET DÉMENT... MAIS OUI !... UN INDIEN VIOLENT, UNE MISSIONNAIRE MANQUÉE, UN INFIRME, UN MOINE DOMINICAIN, UN ABRUTI: MOI-MÊME, L'AMNÉSIQUE DES ÎLES, NOUS FORMONS UNE JOYEUSE BANDE ...

ET ALORS LES INDIENS CARAÏBES ARRIVÈRENT À CUBA POUR PRENDRE LES ESPAGNOLS ET LES MANGER ...

ET LES MANGER ... JUDA LOKÄARTH AUSSI ?

JE N'AI PLUS MAL À LA TÊTE MAIS JE NE ME SOUVIENS PLUS POURQUOI JE SUIS VENU SUR CETTE ÎLE. SI JE REVENAIS SUR LA PLAGE, LÀ OÙ J'AI ÉTÉ BLESSÉ, JE LE SAURAIS PEUT-ÊTRE...

EH OUI... JE NE ME SOUVIENS DE RIEN MAIS JE REVOIS TRÈS BIEN L'HISTOIRE DE JUDA LOKÄARTH... LE BANDIT QUI LIT LA BIBLE ET L'ÉVANGILE À SES VICTIMES...

...C'EST PEUT-ÊTRE POUR CELA QU'ON L'APPELAIT L'ÉVANGÉLISTE...

IL Y A QUELQU'UN LÀ !

285

IL NE DOIT POURTANT PAS ÊTRE LOIN...IL DOIT ÊTRE DERRIÈRE CES PALMIERS.

JE DOIS FAIRE ATTENTION. CET INDIEN A LA MANIE DE VOULOIR ME TUER.

287

C'EST DEPUIS CE MATIN QUE J'AI ENVIE DE TE CASSER LA FIGURE...

LÈVE-TOI MAINTENANT... IL EN FAUT BIEN PLUS POUR TUER UNE GROSSE BÊTE COMME TOI !

CE COMBAT N'A PAS ÉTÉ TRÈS LOYAL !... MAIS TU ES PLUS GRAND ET PLUS FORT QUE MOI !

...J'AI DÛ ME SERVIR DE QUELQUES TRUCS, AUTREMENT TU M'AURAIS TUÉ AVEC CES GROSSES MAINS... MAIS... DIS-MOI, POURQUOI TOURNAIS-TU EN ROND PISTOLET AU POING ? TU SUIVAIS LE DISLOQUÉ ET LE MOINE ?

JE NE COMPRENDS PAS...QUE VEUX-TU DIRE ?

TU ES LE PREMIER QUI ARRIVE À ME BATTRE. MÊME JUDA LOKÄARTH N'Y ARRIVAIT PAS... COMMENT T'APPELLES-TU ? QUI ES-TU ?

EH OUI... JE VOUDRAIS BIEN LE SAVOIR AUSSI...MAIS QUE SAIS-TU DE JUDA LOKÄARTH... OÙ EST-IL ?

TU M'AS BATTU MAIS CELA NE TE DONNE PAS LE DROIT DE ME POSER DES QUESTIONS.

EH NON, MON CHER, C'EST VOUS QUI M'AVEZ MIS DANS CES CONDITIONS, JE PEUX DONC POSER TOUTES LES QUESTIONS QUE JE DÉSIRE ...DE TOUTE FAÇON VOUS NE ME RÉPONDREZ PAS !

ÇA VA ...MAIS TU DISAIS M'AVOIR VU AVEC UN PISTOLET À LA MAIN ?

SANS RANCUNE JÉSUS-MARIE !

OUI ...JE CROYAIS T'AVOIR VU SUIVRE L'INFIRME QUI CHERCHE JUDA LOKÄARTH ET LE MOINE DOMINICAIN ...

JE NE SUIVAIS PERSONNE ...JE T'AI VU SAUTER PAR LA FENÊTRE, PENDANT QUE J'ÉTAIS SUR LA VÉRANDA, ET JE SUIS VENU VOIR ...

CE N'ÉTAIT PAS TOI ?... MAIS J'AI VU QUELQU'UN SUIVRE CES DEUX-LÀ ...ET AVEC UN PISTOLET EN MAIN ...

ALORS IL Y A QUELQU'UN D'AUTRE SUR L'ÎLE ...

ELLE DOIT ÊTRE ICI !...

296

..."L'INFIRME"?!? LE PAUVRE... C'EST PEUT-ÊTRE CELUI QUI A MIS LE FEU À LA MAISON QUI L'A TUÉ. CE COUP DE FEU QUE NOUS AVONS ENTENDU?...

OUI!!!

LE MOINE ET...L'INFIRME L'ONT SURPRIS PENDANT QU'IL METTAIT LE FEU À LA MAISON, ET ALORS IL A TIRÉ, PÈRE MARIANO ET JUDA LOKÄARTH.. OUI...VOILÀ JUDA LOKÄARTH, L'HOMME QUE TOUS PRENNENT POUR UN ASSASSIN...

JUDA LOKÄARTH?... OUI... LE MEILLEUR HOMME DU MONDE... IL Y A TRÈS LONGTEMPS ...C'ÉTAIT UN HOMME SPLENDIDE. CE QU'IL A FAIT FUT HONNÊTE ET JUSTE, MARIN. IL ÉTAIT L'AÎNÉ DE QUATRE FRÈRES...

IL AVAIT SEIZE ANS QUAND UN RICHE TERRIEN TUA SON PÈRE ET SA MÈRE!

IL N'EN PARLA À SES FRÈRES QUE BIEN DES ANNÉES APRÈS, QUAND LA VENGEANCE FUT ACCOMPLIE. TU COMPRENDS, IL A TRAVAILLÉ TOUT SEUL. IL A TUÉ LES ASSASSINS DE SON PÈRE ET DE SA MÈRE... ET PUIS IL EST VENU SE CACHER ICI.

JÉSUS-MARIE...

MON FRÈRE EST MORT?...

OUI, SOLEDAD... JE NE SUIS PAS ARRIVÉ À LE DÉFENDRE...

NE DITES PAS CELA, JÉSUS-MARIE, LE PAUVRE JUDA LOKÄARTH N'AIMERAIT PAS VOUS ENTENDRE PARLER AINSI. NOUS DEVONS PARTIR D'ICI... C'EST INUTILE DE RESTER.

OUI... LE MOINE A RAISON... LE BATEAU DE LA POLICE SE DIRIGE VERS NOUS...

ILS DOIVENT AVOIR VU L'INCENDIE... DE LA CÔTE !

VOUS POURREZ TOUT EXPLIQUER AU GOUVERNEUR...

LES ACCUSATIONS DE PIRATERIE CONTRE NOUS SONT TROP BIEN COMBINÉES... LE FILS DE CELUI QUI A CAUSÉ LA MORT DES PARENTS DE JUDA EST UN CERTAIN AVOCAT CRESTER, UN LÂCHE DE LA GUYANE ANGLAISE...

ILS ONT FORMÉ UN DOSSIER PLEIN DE FAUSSES ACCUSATIONS CONTRE LA FAMILLE DE JUDA LOKÄARTH. ILS SE SONT SERVIS DE TOUS LES CRIMINELS DES CARAÏBES POUR LAISSER DES TRACES ET DES PREUVES CONTRE NOUS.

SACHANT QUE LES LOKÄARTH SONT UNE FAMILLE RELIGIEUSE, ILS LEUR ONT DONNÉ LE NOM DE "BANDE DES ÉVANGÉLISTES". CE QUI LEUR VA TRÈS BIEN...

NOUS SAVIONS CELA MAIS NOUS NE POUVIONS RIEN FAIRE AVEC TOUTE LA POLICE QUI NOUS CHERCHAIT. PUIS UN JOUR, IL Y A QUELQUES ANNÉES, UN OURAGAN FIT TOMBER UN PALMIER SUR JUDA LOKÄARTH QUI RESTA INFIRME. PUIS IL PERDIT SES ESPRITS... IL ÉTAIT DEVENU COMME UN ENFANT ET IL CHERCHAIT TOUJOURS... JUDA LOKÄARTH, L'HOMME QU'IL FUT UN TEMPS.

NOUS L'AVONS TOUJOURS TENU CACHÉ CAR NOUS SAVIONS QUE "BENJAMIN THE LAST", LE FILS DE SON ENNEMI, LE CHERCHAIT POUR LE TUER... ET QUAND TU ES ARRIVÉ SUR L'ÎLE...

J'AI REÇU UN COUP DE FUSIL... J'AI TOUJOURS DE LA CHANCE... MOI !

ET "BENJAMIN THE LAST" DOIT ÊTRE CELUI QUI EST RESTÉ À GRILLER DANS LA MAISON... EH OUI, J'AVAIS OUBLIÉ DE TE DIRE... IL DEVAIT AVOIR LES MÊMES VICES QUE SON PÈRE... IL NE DÉRANGERA PLUS PERSONNE MAINTENANT...

MES ENFANTS, VOUS PARLEZ ET PARLEZ, MAIS ENTRE-TEMPS CEUX-LÀ ARRIVENT...

LE MOINE A RAISON, VOUS DEVEZ PARTIR... MON BATEAU SE TROUVE DE L'AUTRE CÔTÉ DE L'ÎLE ...VOUS POUVEZ LE PRENDRE...

MAIS C'EST VOTRE BATEAU... CE N'EST PAS JUSTE...

NOUS NE POUVONS PAS DISCUTER MAINTENANT DE CE QUI EST JUSTE OU NON... LA POLICE VOUS CHERCHE... VOUS AUSSI, SOLEDAD... INNOCENTE OU PAS, VOUS ÊTES UNE LOKÄARTH... ET JÉSUS-MARIE UN COMPLICE DE LA "BANDE DES ÉVANGÉLISTES"...

MAIS NOUS POURRONS PEUT-ÊTRE DÉMONTRER NOTRE INNOCENCE...

IL Y A TROP DE PREUVES CONTRE VOUS... IL FAUT DE L'ARGENT ET DES AVOCATS... VOICI LE BATEAU !...

POURQUOI NE VENEZ-VOUS PAS AVEC NOUS ?

PARCE QU'IL FAUT QUELQU'UN QUI PUISSE VOUS DÉFENDRE... MAIS SI JE FUIS AUSSI... VOUS SEREZ ENCORE POURSUIVIS... ALLEZ MAINTENANT...

NOUS VOUS DEVONS BEAUCOUP...MONSIEUR... MONSIEUR...

...CIEL...JE NE SAIS MÊME PAS VOTRE NOM...COMMENT VOUS APPELEZ-VOUS ?

EH OUI... MON NOM ?!?...EST JOHN ...JOHN SMITH.

304

PERLES ?... JE SUIS PEUT-ÊTRE SUR CETTE ÎLE À CAUSE DE CES PERLES... MON DIEU, JE NE ME SOUVIENS PLUS DE RIEN...

ALLEZ À HAÏTI ET MONTEZ UN COMMERCE, UN JOUR JE VIENDRAI CHERCHER MA PART... AVEC LES INTÉRÊTS... VOUS AVEZ TROUVÉ UN ASSOCIÉ !... AU REVOIR !

AU REVOIR, GRAND CŒUR SMITH... LES ÉVANGÉLISTES TE SALUENT AVEC AMOUR !

AU REVOIR... ADIEU !...

LA BLESSURE À LA TÊTE RECOMMENCE À ME FAIRE MAL...

CORTO... CORTO MALTESE !

ENFIN... IL Y A UNE SEMAINE QUE JE TE CHERCHE...

QUI ÊTES-VOUS ?

EH !...QU'EST-CE QU'IL T'ARRIVE ?...TU AS RETIRÉ LES PERLES DE LA BANQUE DE BELIZE POUR LES PORTER À PUERTO CORTES ET TU N'ES PLUS REVENU. J'ÉTAIS PRÉOCCUPÉ ET JE ME SUIS ADRESSÉ À LA POLICE. CETTE NUIT, DU LARGE, NOUS AVONS VU UN INCENDIE ET NOUS SOMMES VENUS VOIR... MAIS TE SENS-TU BIEN ?

EXCUSE-MOI, VIEUX... MAIS JE N'AI PAS LES IDÉES TRÈS CLAIRES ...ET JE NE ME SOUVIENS PAS BIEN DE CE QUI M'EST ARRIVÉ.

MAIS...MAIS...TU ES BLESSÉ...QUI T'A FAIT ÇA ?

CORTO MALTESE... MON AMI, QU'EST-CE QU'ON T'A FAIT ?

CORTO... MALTESE ?... ...IL Y A QUELQU'UN D'AUTRE QUI M'A APPELÉ AINSI... MAIS JE NE ME SOUVIENS PLUS MAINTENANT !...

PROFESSEUR STEINER... C'EST ÇA VOTRE AMI ?

JE DOIS VOUS POSER QUELQUES QUESTIONS, CAPITAINE CORTO MALTESE...

IL Y A DEUX MORTS SUR CETTE ÎLE, L'UN EST CARBONISÉ DANS LA MAISON DÉTRUITE ET L'AUTRE, UN INFIRME, LOIN DE LÀ AVEC DES BLESSURES D'ARME À FEU...QUE POUVEZ-VOUS NOUS DIRE SUR CELA ?

C'EST UNE HISTOIRE UN PEU LONGUE ET JE DEVRAI LA RACONTER À VOS SUPÉRIEURS.

307

FiN

TRISTAN BANTAM

Fils de Ronald Bantam, scientifique qui fit les beaux jours de la Geographic Association of London. Orphelin en 1912, se lança, comme son père, sur les traces du continent de Mũ.

BOUCHE DORÉE

La plus célèbre des grandes prêtresses de tous les cultes secrets d'Amérique du Sud. Prétendait avoir connu l'arrière-grand-père de Corto à Quiemada, au Brésil. Par ailleurs, femme d'affaires avisée.

JEREMIAH STEINER

Né à Prague en 1865. Professeur à l'université de cette ville. Auteur de nombreuses recherches sur la Gnose et les sciences alchimiques. Après une longue période de dérive éthylique, de 1913 à 1921, il reprit ses activités intellectuelles et ses écrits.

MADAME JAVA

Nul ne connaissait son vrai nom. Appartenait à la
communauté indonésienne encouragée par les Hollandais
à s'installer au Surinam à la fin du XIXe siècle. Tenait la
pension la plus réputée de Paramaribo.

RASPOUTINE

Né dans un camp sibérien de déportés en 1885. Père
inconnu, mère morte en couches. Elevé par une femme
qu'il vénéra toujours comme sa propre mère.

MORGANA DIAS DO SANTOS BANTAM

Née à Bahia en 1897. Fille de Ronald Bantam. Demi-sœur
de Tristan. Propriétaire, avec Bouche dorée, de la
« Financière atlantique des transports maritimes » et
agent de l'espionnage commercial anglais.

JOHANNES MILNER

Avocat véreux et assassin confirmé. Corto Maltese gagna sa vie aux cartes à Bahia, un soir de 1915, et remit le triste sire au bagnard Cayenne, qui le fit disparaître.

SOLEDAD LOKÄARTH

Née dans l'île de Saint-Barthélemy aux Antilles en 1895. Vécut avec sa famille en Guyane hollandaise puis se réfugia sur un îlot perdu. Echappa de peu à l'incendie de sa demeure en 1915 et à une condamnation à mort, à Port Ducal.

BARON HASSO VON MANTEUFFEL

Né a Fribourg-en-Brisgau en 1860. Consul général du gouvernement de Guillaume II en Angola. Agent de liaison de la Kriegsmarine au Brésil après 1914. Tué l'année suivante par un agent de la West African Frontier Force.

Aventure et Polar

Humour

Pour tous

Adult'

63

Imprimé par Brodard et Taupin à La Flèche
le 14 mars 1988 - 1939-5
Dépôt légal avril 1988. ISBN 2-277-33063-9
Imprimé en France

J'ai lu BD/Éditions J'ai lu
27, rue Cassette 75006 PARIS

Diffusion France et étranger : Flammarion